JN062477

謎の多い山

謎の多い山MAP

英彦山縁起 P243
謎の多い山 P207
山開きの頃 P15
校歌 多良岳
P281
国木田独歩が愛でた山
P101
北九州市
福岡市
犬ヶ岳
古処山
屏山
英彦山
馬見山
岳滅鬼山
平戸市
佐賀市
由布岳
三俣山
佐世保市
万年山
平治岳
大分市
久住山
大船山
中岳
猟師山
横瀬
多良岳
ツームシ山
鞍岳
根子岳
越敷岳
佐伯市
大村市
五家原岳
杵島岳
緩木岳
元越山
高岳
傾山
長崎市
諫早市
烏帽子岳
祖母山
島原市
熊本市
中岳
普賢岳
行縢山
延岡市
八代市
修験の山だった雲仙岳
P37
行縢山のうちわ男
P121
市房山
白髪岳
祖母山の二つの伝説
人吉市
P61
大口市
球磨・人吉地方
P137
高千穂峰
宮崎市
鹿児島市

もくじ

本文イラスト・カバー版画／柴田昭隆

春から夏の山・序にかえて

春夏秋冬のうち、どの季節の山がよいかと尋ねられたら、即答は難しいのですが、春から夏の山に登ってみることをお勧めします。

冬から早春へかけて、山の季節はゆっくりと移り変わります。しかし、一旦春になると、季節は足早に駆け抜けて、またたく間に木の葉の緑が濃くなり、夏の輝きが強くなります。

この時季の山は、一カ月に一回のペースで登ると、これが同じ山だろうかと戸惑ってしまうほど、色も匂いも変わっています。それは、樹木が力強く成長している証拠です。思わず、オオッと驚きの声が出るほどの変わりようには、本当にびっくりします。

冬の寒さが和らぎ、草木がゆっくりと芽吹き始めた三月ごろの、やわらかくて、淡くて、輪郭が曖昧模糊(あいまいもこ)とした風景は、四月になると、あっという間の速さで、はっきりとしたみずみずしい緑に変わります。林の中を通り過ぎていく春風に緑の色を吹きつけられたとも知らず、木の葉は軽やかに揺れています。

春から夏にかけての季節は花が咲き乱れるころで、山に行きたくて心がうきうきしてきます。

三月にはマンサク、アシビ(アセビ)の花が咲きます。消え残った雪の中から、福寿草の花が「もう春ですよ」と挨拶をします。

マンサクは、「まず咲く」花であるからマンサクと名付けられたと言われるように、春が来ることをいち早く知らせる花です。

アシビは、蝋細工の小さな壷状の白い花を稲穂のように咲かせます。「馬酔木（あしび）」と書くのは、馬がアシビの有毒な葉や茎を食べると足が萎えて酔っ払ったようになるからだそうです。昔は、アシビの葉を煎じて防虫剤として利用されていました。『万葉集』の昔から愛された花です。

四月には、カタクリが咲きます。日が当たると開いて花弁が反り返り、夕方には閉じてしまう。木漏れ日の中で咲く紅紫色の花はまるで妖精のようです。昔の片栗粉は、カタクリの球根（鱗茎）に貯蔵されたデンプンを集めてつくっていました。高さ十五センチほどの草であるカタクリの根から取り出すデンプンの量はわずかです。現在の片栗粉はジャガイモからつくられており、手軽に求められますが、昔の片栗粉は高価な貴重品でした。

亡くなった母の話によると、昭和初期のころの島原半島では、ごく普通にカタクリの花を見かけたらしいのですが、今の九州では熊本県や宮崎県の奥地で、かろうじて見ることが出来る花になりました。

五月には、アケボノツツジ、ヒカゲツツジ、ミツバツツジなど、いろんなツツジの花が咲きます。アケボノツツジは、四、五メートルの高さの木で、満開の花は桜をイメージさせます。ヒカゲツツジは、黄色い花を咲かせる珍しいツツジです。

冬の間、木の葉を落としていたクヌギ、コナラ、ウツギカシワ、ミズキなどの落葉樹には、新しい葉が芽吹きます。新しい葉っぱは、美しくて、やさしくて、楽しそうに若やぐ緑の漣(さざなみ)のようです。時々、光の水玉が飛んでキラリと光り、さわっと揺(ゆ)らぎます。飛んで、光って、揺らぐごとに緑の色が濃くなっていきます。

雨期を迎える六月の山は深みを増した濃い緑になり、ミヤマキリシマ、イワカガミ、シャクナゲ、ヤマボウシなどの花が咲きます。

皆さんよくご存知のとおり、ミヤマキリシマは、雲仙岳、九重連山、霧島連山に群生しています。九重連山の山開きのころに見ごろとなる平治岳のミヤマキリシマは、緑色を厚塗りしたカンバスの上に、ピンクの油絵具をチューブから、エイッとばかりに搾り出して塗り上げたボリューム感あふれる油絵のようです。

イワカガミは岩陰などに生え、葉っぱが鏡のように光った高山植物で、淡紅色の三角帽子をかぶった小人が躍っているような花をつけます。

シャクナゲの花は平地でも見ることができますが、高い山に自生して群落をなしている花には、野性のたくましさと自然環境に耐え抜いて生きてきた花の、凛（りん）とした品格を感じます。

何と言っても、雨季の花の女王はオオヤマレンゲです。その気高さを比べるとオオヤマレンゲに勝るものはないでしょう。九重山系では、猟師山登山口付近で見ることができます。

ヤマボウシは、雲仙市の九千部（くせんぶ）山の群生がよくテレビで紹介されています。葉の上に開く白い花びらは、樹木に雪が降ったようです。実を言うと、花びらに見えるのは苞葉（ほうよう）という葉の部分であり、丸い小さな緑色の粒々が集まって坊主頭のように見えるのが花なのです。

真っ白い花が、渓谷から吹き上げてくる瀬音に震えています。

ウツギです。白い五弁の花がうつむいてこぼれ咲くウツギは、なんともいとおしい。

この頃になると、幼かった木々の葉は、きらきらと水も光もはじき返すような若い葉になっている。ウツギは、周りの濃い緑の層の中に遠慮がちに咲いています。

気のおけない四、五人の仲間と、幾度となく九州の山に登りました。仲間の記録によると百回ほどの回数になる。

最近は年齢とともに衰える体力を考慮して、鎖を伝ってよじ登るという行者まがいの難行をしなくても楽しめる山を選ぶようになりました。それは登山というより、季節の花を求めての山歩きといったほうがよい軽登山です。

山歩きの楽しみのひとつは昼食です。山頂を極めたあとは少々の酒でのどを潤し、握り飯をほおばる。酒が五臓六腑（ごぞうろっぷ）に染みわたったころを狙って、おにぎりを臓腑（ぞうふ）に転がし込みます。

江戸末期の越前（福井県）の歌人・橘曙覧（たちばなあけみ）は、正岡子規が「清貧の歌人」と称して絶賛したことで文学史に名をとどめています。有名なのは連作五二首の「独楽吟（どくらくぎん）」で、いずれも第一句を「たのしみは」と詠いだし、結句を「とき（時）」と終わらせる。例えば、

　　たのしみは野寺山里日をくらしやどれといはれやどりけるとき

野辺の寺や里のあちらこちらと訪ね歩いていたら、日暮れになってしまった。これから夜道を帰るのも億劫(おっくう)だと思っていたら、訪ねた先の主人が「今夜はうちへ泊まりなさい」と言ってくれた。やれ、うれしいことよ。

その夜は、遅くまで話が尽きなかったに違いありません。

たのしみは空暖かにうち晴れし春秋の日に出でありく時

たのしみはとぼしきままに人集め酒飲め物を食へといふ時

こんなふうに五二首もつづくのだから、橘曙覧の楽しみと私の楽しみは重複するものがいくつもあります。歌も似かよってくる。似た歌は本歌取りだと思ってもらうことにして、五首ばかりつくってみました。ちなみに、「五首」には「御酒(ごしゅ)」を掛けています。

たのしみは山路いろどる草や木の時季を忘れぬ花を見るとき

たのしみは名前覚えぬ鳥の来て高き梢(こずえ)で囀(さえず)りしとき

たのしみは友と極めた頂(いただき)で少しの酒を傾けるとき

たのしみは四方(よも)の景色をうち眺め解放感に浸りたるとき
たのしみは麓(ふもと)へくだり温泉の湯船にからだ漂(ただよ)はすとき

山に登るもう一つの楽しみは、各地の温泉に入ることです。山歩きでこわばった体を湯船に沈めると、疲れがじんわりと温泉の中に溶け出していく。その気持ちよさは、うとうとと眠りこけてしまいたくなるほどです。

宿の温泉で汗を流した後は、食前のビールをグーッと一杯飲んで、後は山の幸を食べながら日本酒をチビリチビリと飲む。これがたまりません。そのために山に登っているようなものです。

山開きの頃

平治岳（ひいじだけ）1643m　在所：大分県竹田市

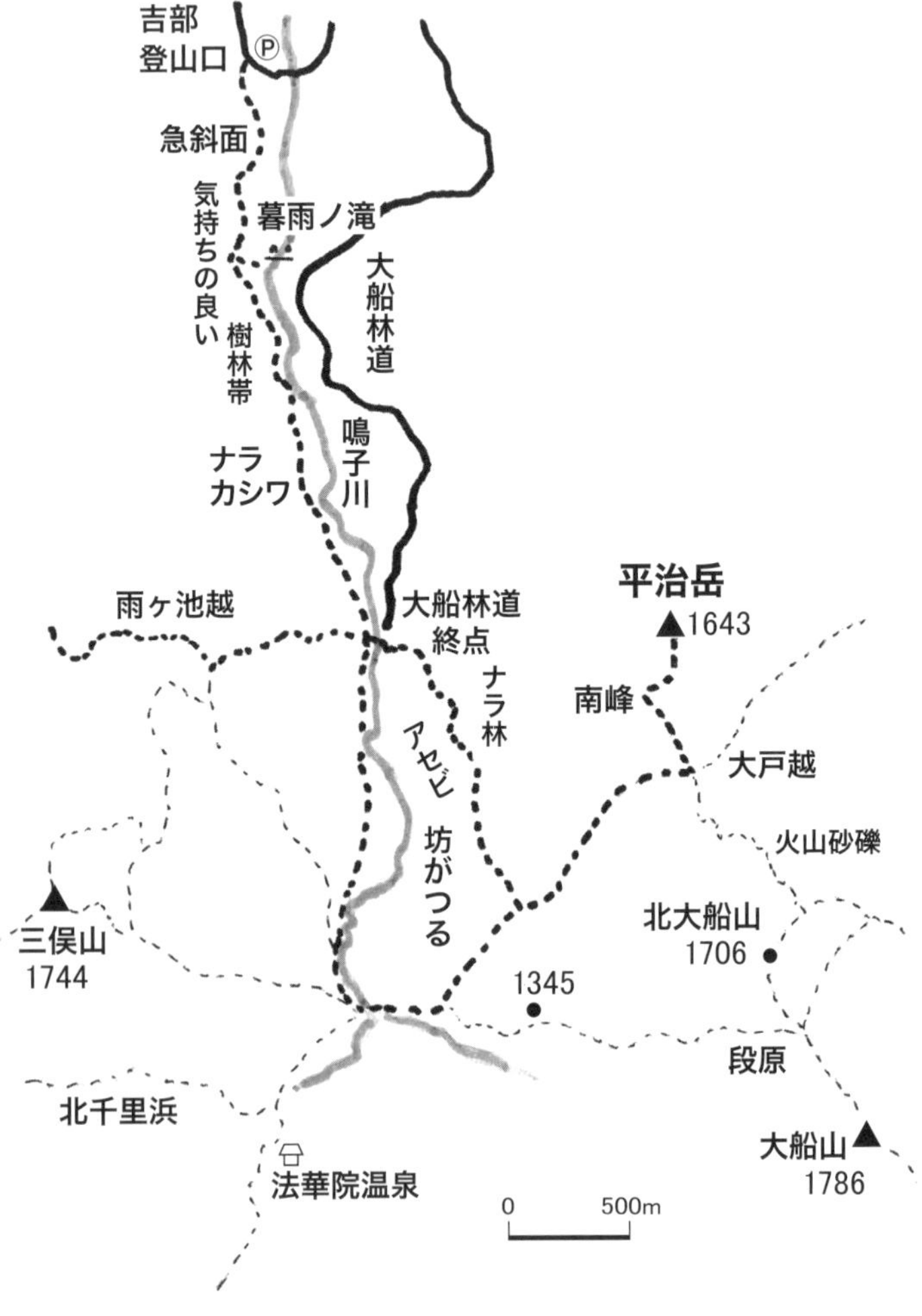

一、森と渓流

久住山の山開きの神事は六月初旬に執り行われる。ミヤマキリシマが咲きそろう頃でもあり、六月上旬の山開きの日には、約三万人の登山客が押しかけ、九重連山は人だらけになる。混雑を避けて、五月末に平治岳（ひいじだけ）（一六四三m）へ登った。

一行は五人。久しぶりのフルメンバーである。九重ＩＣで高速道路を降りて、豊後中村から曲がりくねった県道四〇号線を登って行く。九酔渓（きゅうすいけい）（十三曲り）と呼ばれる切り立った渓谷には、日本の滝百選の一つである震動の滝のほか、羽衣の滝、天狗の滝などの滝がある。秋は紅葉の名所であるが、広葉樹林が茂る若葉の時季もすがすがしい。

ここまで読んでお分かりだと思うが、「くじゅう」という言葉を「久住」と書いたり、「九重」と書いたりしている。そのわけを話しておきたい。

日本中のたいていの山は信仰の対象だった。高く険しい山は修験の場としてあがめられた。九重山（久住山）もその一つである。

標高一二〇〇メートルの坊がつるには、九重山法華院（ほっけいん）白水寺という天台宗の寺があって、弘蔵坊という宿坊があった。それが、「坊がつる」と呼ばれている由縁である。「つる」とは水の流れがある平坦地をいう。

もうひとつ天台宗の寺があった。瀬の本高原から豊後竹田市へ通じる国道四四二号線にある久住山猪鹿狼寺だ。「イノシシ・シカ・オオカミ寺」とは物騒な寺の名前だが、「いからじ」と読む。猪鹿狼寺は、肥後の国（熊本県）の人々の信仰が篤い寺で、往時はこの寺が久住山への南登山口であった。

江戸時代初期に、久住の郡代が鉄砲一〇挺などの武器を持たせた百姓六十余名を引き連れて、法華院へ乗り込んだ。寺の山号を「久住山」ではなく、「九重山」と称しているのは怪しからん、とねじ込んだのである。このころから「九重山」と「久住山」は名称争いをしていた。

名称争いは、昭和時代になっても決着しなかった。一九八六年（昭和六一）に阿蘇国立公園の範囲を広げて九重山一帯を加えるとき、名称を「九重」と「久住」のどちらにするか論争したが、折り合いがつかず「阿蘇くじゅう国立公園」とカナ書きになった。まさに「苦渋（くじゅう）」の選択である。

現在は、九重の山々の総称を「九重」と言い、一つの峰の名を「久住」と言っている。

ここで、本題へ戻る。

筌ノ口(うけのくち)温泉まで上り詰めると高原地帯に入る。ここは、川端康成が旅館「小野屋」に投宿して小説『波千鳥』の構想を練ったことのある小さな温泉地である。共同の湯治場(とうじば)では、土地の老人たちが、白髪でギョロ目の客が有名な小説家とは知らず、解読不能な土地訛(なまり)の言葉で、滔々(とうとう)とお湯の効用を聞かせたという。

通常は、飯田(はんだ)高原を北へ向かうやまなみハイウェイを快適に走り、久住山への登山口である長者原や牧ノ戸峠へ向かうのだが、高原へ出ると東に進路をとり吉部(よしぶ)地区へ向かう。吉部地区は、収穫がまったく見込めなかった湿地帯であったが、明治時代に筑後の農民二〇戸が入植し、苦労して水田地帯につくりかえた。

水田地帯を横切り、九重町田野から大船(たいせん)林道への細い道を登っていくと、林道ゲートの手前が吉部登山口である。

登山を開始すると、いきなり木の根をつかんで登らなければならないほど急な坂である。足慣らしができていないうちの急な登りはつらい。

あえぎながら下湯沢山の尾根近くまで登ると起伏はゆるやかになり、落葉樹林の軽快な道になった。

鳥がしきりに鳴く。先回りして待っていたかのように鳴き始める。ウグイス、ホトトギスに混じって、甲高い声はキビタキ、さえずるように鳴くのはオオルリであろう。悲しいかな、鳴き声で確認できるのは、ウグイス、ホトトギス、カッコウなど特徴のある鳥だけだ。もっと「耳学問」をしなければならない。

メンバーのひとりであるタカオは野鳥と親しい。タカオが「ちょっと来い」とコジュケイを呼び出して鳴き方を指導しているうちに、いつも「ちょっと来い」と呼びつけられるコジュケイは、「ちょっと来い、ちょっと来い」と鳴くようになった。

ホトトギスには、「天辺（てっぺん）かけたか」と鳴きなさいと命じたのに、髪の薄いタカオの頭を見たホトトギスは、「天辺禿（は）げたか」と鳴くようになった。

いずれも、にわかに信じがたい話であるが、彼が話すと本当のように思えてくる。優れた先達であるタカオの蘊蓄（うんちく）を聞くと、小鳥の声が一層楽しい。

コナラ、ミズナラなどの雑木林の中にサワグルミ、ブナ、ミズメなどの大木が混じっている。こんな森を歩くと、ずっと以前、ここに住んでいたような錯覚を覚える。樹林に入ると気持が和むのは、縄文・弥生の太古の昔から、人が森と親しんでいたためではないだろうか。人は、森に暮らしていたというＤＮＡを受け継いでいるのである。

平治岳を目指すルートは四通りある。一番ポピュラーなのは、長者原登山口から坊がつるを経由して登るルート、もう一つは男池からのルートで、距離は一番近い。三つ目は大船山から段原まで下って平治岳を目指すルート。四つ目が吉部登山口からのルートである。吉部登山口からのルートは、今回初めて歩く。

人それぞれに山の楽しみ方は異なる。

例えば、これは登山記録マニアの密かな楽しみにすぎないのだが、ある人は、百名山と称される山に登るごとに名山リストを塗りつぶして、残りの数が減っていくのを楽しみにしている。春夏秋冬それぞれの季節に同じ山に登り、四季の山を経験して初めて一つと数える人もいる。山頂へ至る複数のルートがあれば、それをすべて踏破することを楽しみにする人がいる。

「山へ登った」というが、それは本当に登ったと言えるのだろうか。

晴天の日に登った人は、霧の濃い幻想的な山の魅力を知らない。秋に登った人は、花が咲く頃の山の美しさを知らない。登るたびに山への新しい感動が生まれるので、その魅力は計り知れない。山には、道の数だけ、季節の移ろいの数だけ、天気の数だけ、楽しみ方の数だけ、いや、それらを全部掛け合わせた数ほどの魅力が潜んでいる。

だから、また山へ行きたくなるのである。

木漏れ陽の木立の中を歩くのは、すがすがしい。同じような景色がつづいて単調であるが、厭きることはない。谷を流れる鳴子川の水音が歩調を整えてくれる。

大船山、平治岳を源流とする鳴子川は、平治岳と湯沢山との間を渓流となって下り、飯田高原へ出ると、ゆったりと北へ流れる。筌ノ口温泉で震動の滝として落下した後は再び渓谷となる。これが九酔渓である。渓谷の途中で筋湯温泉方面から流れてくる千歳川と合流して玖珠町へ至り玖珠川となる。玖珠川は、万年山の裾を東側から北側へと半周して西へ方向を変えると日田市で筑後川と合流して大河となる。

大河となる源流の一つが眼下を流れていることを想うだけでも楽しい。

一時間歩いた。登山道路をそれて、鳴子川渓谷の急な斜面を河原まで下りて行くと、暮雨ノ滝がある。五メートルの落差しかない小ぶりの滝であるが、小休止するのに格好の場所だ。キラキラと光を反射させている流れに手を浸すとひんやりとして気持がよい。若葉の匂いをいっぱいに含んだきれいな水なのに、硫黄分など有害物質が混じっていて、飲用できないのが残念である。

今では想像もつかないが、かつては、久住山の山頂付近まで樹木が覆っていた。登山路はモミ（樅）やツガ（栂）やブナ（橅）の大木がうっそうとした森であった。

火山活動が活発になると、活火山は、山を一変させてしまう。久住山は、一九〇〇年（明治三三）頃から活発化した硫黄山の噴煙によって、五年間で全山の樹木が枯れてしまった。

モミやツガはマツ科の常緑高木で、高さは三〇メートルほどになる。ブナは落葉樹で、二〇メートルの大樹に成長する。幹の直径二メートルの大樹も、硫化水素や砒素の成分を含む噴煙によって次々と枯れていった。ミズナラの多い現在の林は、その後に出来たものである。


森林浴を十分楽しみながら歩いた頃、急に前方が開けた。三俣山の北の峰が鋭角に迫って来る。

鳴子川渓谷の水音を聞きながら歩いてきたが、心地よい水音と別れて、平治岳の山腹へ向かう。空を見上げると薄い雲が流れ、日差しは柔らかい。絶好の登山日和だ。平治岳の横腹を行く道は、緩やかな登り坂である。

ミズキの白い花が咲いている。群生して咲く白い花は、緑の葉の上に綿毛が浮いているように見える。渓谷周辺や渓谷の斜面など水を確保しやすい場所を好み、枝を切ると水が滴り落ちることからミズキという名がついた。春先に、幹に耳をつけると水が流れるような音が聞えるという。

樹皮の特徴で木の名前をある程度言い当てることができる。ミズナラ、コナラなどの樹皮はガサガサで縦に割れ目がある。トチノキの樹皮は、ガサガサではあるが割れ目はない。しかし、年を経ると割れ目が入るから厄介だ。滑らかな灰白色をした樹皮のブナ、つるりとした樹肌のヒメシャラなど、落葉高木が林をつくっている。

適度な湿り気もあり、いかにも茸（きのこ）が好んで生育しそうな林である。その中に赤松が混じっているので、ひょっとしたらマツタケが生えるかもしれない。秋には、黄色や茶色に色づいた林の中でドングリを拾い、キノコを探しながら歩いても楽しいであろう。

いくつかの小さな枯れ沢を越えるとスズタケの群生になった。背丈ほどに伸びたスズタケが道を覆い隠している。

先頭を買って出たヒロは猪武者のように藪（やぶ）をかき分けて進む。後ろから「ヒロ、藪漕（やぶこ）ぎが出来てよかったね」と、トシが冷やかす。草木が生い茂り、道がはっきりしないところを掻き分けて進むことを「ヤブコギ」と称する。ヒロは、道なき道を歩くことを好む。

足許はほとんど見えない。油断をすると、前を行く者の掻き分けたスズタケの枝が跳ね返ってきて、したたかに顔を鞭打たれる。ヤブ同然のスズタケを掻き分け、獣道ほどの細い道を足で探りながら進んだ。

二、ミヤマキリシマ

比較的に傾斜が緩やかで優しい形をした九重連山は、火口からマグマが幾度となく噴出して冷え固まり、どんどん盛り上がって出来た。粘りの強いマグマは、斜面をゆっくりと流れるうちに固まり、山頂近くで盛り上がってドーム状になった。噴火を伴う爆発的な活動をせずに、何千、何万年もの間、マグマがじわじわと地表に噴出して出来た山だといえる。

登り始めてから二時間後に、法華院経由で登って来る道と合流した。まばらであった登山者は、列ができるほどに増えた。坂は急になり、大戸越までは灌木林の中のゴツゴツとした火山岩の道を登って行く。九重連山が火山である証拠の真っ黒な土は、登山路を濁流となって流れ下った雨水に削り取られて歩きにくい。

「ここから先に石を入れてください」と書かれた奇妙な立札が立っている。

一行五人は、リュックの中から握りこぶしほどの石を二、三個取り出して路へ置いた。

パーティーの中で一番若いサクは、両手の掌ほどの大きい石を取り出した。

「重かっただろう。おう、えらい、えらい」とみんなから褒められると、サクは、照れくさそうに石を路に放り投げた。

奇妙な立札は、「泥止めのための石を一つずつリュックに入れて運んできて、ここから先の道普請をしてください」と登山者へ呼びかけているのである。

大分県は、地方振興策の一環として、その地域の顔となる産品をつくる「一村一品運動」を展開し、地域の活性化に効果をあげたことがある。九重連山泥止め作戦は、いわば「一人一石運動」である。

大戸越へ到着と同時にミヤマキリシマの大群落が目に飛び込んできた。思わず、「オオーッ」と感嘆の声をあげた。平治岳の山肌は、ピンクとグリーンの糸で織りあげた厚手の絨毯を急な斜面いっぱいに広げたかのようだ。

絨毯の中を蟻が一列に連なって這い登っているように見えるのは、花の中をかき分けて山頂を目差す登山客である。

平治岳(ひいじだけ)南峰を目前にして立つと、坊がつる、三俣山(みまたやま)が西側に見える。後ろを振り返ると、段原(だんばる)の後方に大船山(たいせんざん)がそびえている。

大戸越は、男池、坊がつる、大船山の三方からやって来る道の合流点である。広場は、思い思いに小休止をとるパーティーで賑わっている。すでに平治岳を目指している者も合わせると軽く百人を超えるであろう。急に街中へ迷い込んだような気がする。

大戸越から平治岳南峰までは、補助ロープや木の根につかまりながら急坂を登る。山頂まで登山者が数珠繋ぎになって続いている。なかには、ロープを使ってもスムーズに登れない者もいて、たびたび渋滞する。ラッシュ時の交通渋滞に等しい。その分、ゆっくりとミヤマキリシマを観賞することができる。

「テル、これを見てごらん」

と、ヒロがミヤマキリシマの下をそっと指差した。直径一センチほどの薄紅色の花が咲いている。

「イワカガミというのだ。葉はつやつやとして、光沢があるだろう。手鏡のようだからイワカガミの名がついた。九重山系では、大船山の頂上付近や稜線に群生している。高い山の急傾斜や岩場に咲き、めったに見ることが出来ない花だよ」

ヒロの説明を背中で聞きながら、花に見入った。花は、首をかしげたようにやや横向きに咲いている。深く切れ込んでいる花弁は、山の妖精が破れた帽子をかぶっているようで可愛らしい。もっとゆっくり観察したいが、後続にせかされて登る。

行く手に南峰の巨岩が見えてきた。あたり一面はピンク色をしたミヤマキリシマだ。眼下には、新緑の坊がつるが広がっている。三つの峰を持つ三俣山の均整の取れた姿は九重山のシンボルの一つだ。ここは、山岳写真家はもちろん、素人カメラマンに人気の撮影ポイントである。

平治岳へ登るには四つのルートがあると言ったが、実はもう一つ、吉部から平治岳の北尾根を登るルートがある。そのルートは、鳴子川沿いに我々が歩いた道の対岸の尾根を直登する。山頂近くになると、岩場と急坂が続き危険を伴うので、登山の上級者が登る道である。しかし、ミヤマキリシマのシーズンには、三方からの道が合流する大戸越の混雑を避けて平治岳の北尾根を登る者が増えてきた。

山頂近くのミヤマキリシマは、茶色になって立ち枯れているものが目につく。尺取虫の大群に食い荒らされているのだ。特に山頂の北側の被害がひどい。北尾根を登ってくると壊滅的で危機感がつのるという。

尺取虫はキシタエダシャクという蛾（が）の幼虫で、ミヤマキリシマ、レンゲツツジ、アセビなどの葉を好んで食べる。卵から孵化した尺取虫が春に大発生してミヤマキリシマの葉を食べて蛹（さなぎ）になり、一カ月後には成虫となって交尾をして次の世代を産み付ける。

しばしば薬剤散布による駆除が取りざたされるが、阿蘇くじゅう国立公園を管理する環境省は「害虫駆除については、生態系への悪影響が懸念されることから、当面は自然の遷移（せんい）に委ねる。」として、対策を立てず、自然にまかせることを対策としている。

尺取虫の天敵は、ヒメバチ、ヤドリバエ、クロヤマアリである。尺取虫はこれらの昆虫の餌になるのだが、餌となる尺取虫を退治すると、ヒメバチなど別の生物の食べ物がなくなる。薬剤によって食物連鎖を断ち切ると、天敵までも殺してしまうかもしれない。自然界の摂理の中に人間が介入することは大変難しい。

一一時一五分に山頂に着いた。大勢の登山者がそれぞれに景色を楽しんでいる。登山者が次から次に登って来るので、山頂付近では立ち止まれない。記念写真を撮ると景色を楽しむ間もなく食事の場所を探しにかかった。

ミヤマキリシマの群落が途切れて草むらになった広場に陣取り、佐世保市の地酒「梅ケ枝」で乾杯する。焼いた干しアゴを肴にして酒を飲んでいると、周りで弁当を広げて

いる者は、魚を焼く煙とうまそうな匂いが迷惑の様子で、われわれを異様な一団と決めつけ、白い目で見ている。

「長崎名物のトビウオを干したもので、干しアゴといいます。うまいですよ」と、サクとトシが振舞うと、一転して、旨いと褒めて意気投合した。

宮崎、大阪など遠方からの登山者もいる。全員が干しアゴを手にして、ミヤマキリシマの群落を満喫した。これに気をよくした二人は、食後にパーコレーターで点てた本格コーヒーを振舞って回った。

三、坊がつるの湿原

帰りは、坊がつるの中央キャンプ場へおりた。午後一時、このまま横になり昼寝をしたい気分である。遠くでカッコウが鳴いている。

坊がつるは、周りを山で囲まれた中にできた平原地帯である。一見すると、ところどころに灌木が点在する草原のようであるが、中間湿原と呼ばれる湿原である。

坊がつるがラムサール条約に登録されるまでは、九重連峰に親しんでいる人も、坊がつるが湿原だと知る人は少なかった。

湿原は、高層湿原、低層湿原、中間湿原の三種類に分類される。

湿原の地表が周囲の土地や地下水系の水位より高ければ高層湿原、それより低ければ低層湿原、同程度であれば中間湿原という。ところによっては、一箇所の湿原地帯に二種類以上の湿原が混在することがある。

代表的な湿原である尾瀬を例にとると、高層湿原ではニッコウキスゲが育ち、低層湿原ではミズバショウが育つ。高層、低層、中間という呼び方の違いは、湿原がある標高の高さによって変るわけではないのだ。

高層湿原は、枯れて堆積した植物が十分に土になりきれないまま泥炭となり、周囲より高く盛り上がってできる湿原である。湿原での植物の命の糧である水は、雨水や雪解け水だけである。養分も少なく酸性度が高い。そのため、高層湿原では、環境が厳しい中で生きることができるスゲ科植物など、限られた植物しか生育できない。

水位が周囲より低い低層湿原には、堆積した泥炭層へ周囲から流れ込む水が養分を運んでくれるので、ミズバショウなど大型の植物が生育できる。

中間湿原は、高層湿原や低層湿原の出来上がる過程に位置する湿原であり、ヌマガヤなどのイネ科植物やスゲ科の植物が生育する。

新しく植物が生育してくる量が、枯れた植物の微生物分解量をわずかに上回り、泥炭が生産される環境でなければ、湿原はできない。水が多すぎると沼になる。少なすぎると草原や林になる。周囲から土砂の流入が多すぎると湿地は干上がってしまう。

このように、湿原は微妙なバランスの上に現在の姿を保っている自然である。

坊がつるには、ヌマガヤ、ミズゴケなどの湿原植物が群生する。坊がつるは、山岳地帯にできた中間湿原としては国内最大級であり、二〇〇五年（平成一七）一一月にラムサール条約に登録された。ラムサール条約は、水鳥の生息地として国際的に重要な湿地を守ろうとするものである。締約国は、自国の重要な湿地を指定して保全する義務を負う。地元は観光振興にプラスになるとして、坊がつるがラムサール条約の対象湿原として登録されたことを喜んでいる。しかし、自然保護団体は、観光客が増えて環境が壊されてしまうのではないかと心配する。事実、キャンプ場利用者が湿原を歩き回ることによって、湿原だけに生える希少植物が踏み荒らされている。

中間湿原は、湿原形成の過程の中で現在の姿を保っているという不安定な状態にある湿地である。開発工事で地下水源が壊されたり、大勢の人から踏みつけられて地下水位が変化すると、湿原が減少したり、消滅したりする危険性がある。

かけがえのない自然を守るために、登山者としてのマナーを守りたいものだ。

近くのパーティーが合唱を始めた。それに唱和して、トシが歌う。

〽四面山なる坊がつる／夏はキャンプの火を囲み／夜空を仰ぐ山男／無我を悟るはこの時ぞ

私たちのパーティーも、合唱に参加して一緒に歌った。

歌は、「坊がつる讃歌」である。この歌は、歌手の芹洋子がNHKみんなのうたで歌ったことで全国に広まった。

テルは、若い頃に何度か坊がつるでキャンプの火を囲んだことがある。その頃が走馬灯のようによみがえってきた。そして、「この歌は、もともと広島高等師範学校の『山男の歌』だったということを聞いたことがある。元歌は、同校の山岳部の歌だった。山岳部のみならず同校学生たちの逍遥歌として歌われていたものと思う」と切り出した。

話は一九五二年（昭和二七）へさかのぼる。当時、九州大学山岳部の学生たちが、坊がつるに建っていた「あせび小屋」で、小屋の管理と宿泊者の世話をしていた。

そのメンバーであった梅木秀徳が、こんな歌があると言って「山男の歌」を披露した。梅木が新制日田高等学校に在学中、広島高等師範学校（現在の広島大学）出身の国語教師が山岳部の顧問をしており、その時に習い覚えたのが「山男の歌」だった。

すると、「いい歌ではないか。この曲に九重連山を詠いこんだ歌詞をつくろう」と仲間が言い出し、梅木ら三人で歌詞をつくった。歌詞は九番まである。こうして「坊がつる讃歌」は誕生した。

メロディーはそのままにして、歌詞だけを変えた替え歌だったのである。

題名を「坊がつる讃歌」としたのは、「讃歌」という文字の中に「替え歌」であることを忍ばせてある。「讃歌」は「賛歌」とも書く。つまり「替え歌」だ。粋（いき）なことをしたものである。

もう少し坊がつるでのんびりしたいのだが、リュックを背負って立ち上がった。

坊がつるを流れる小川に生えたミズゴケを眺めながら帰路につく。

また、カッコウがひとしきり鳴いた。

修験の山だった雲仙岳

島原半島地図

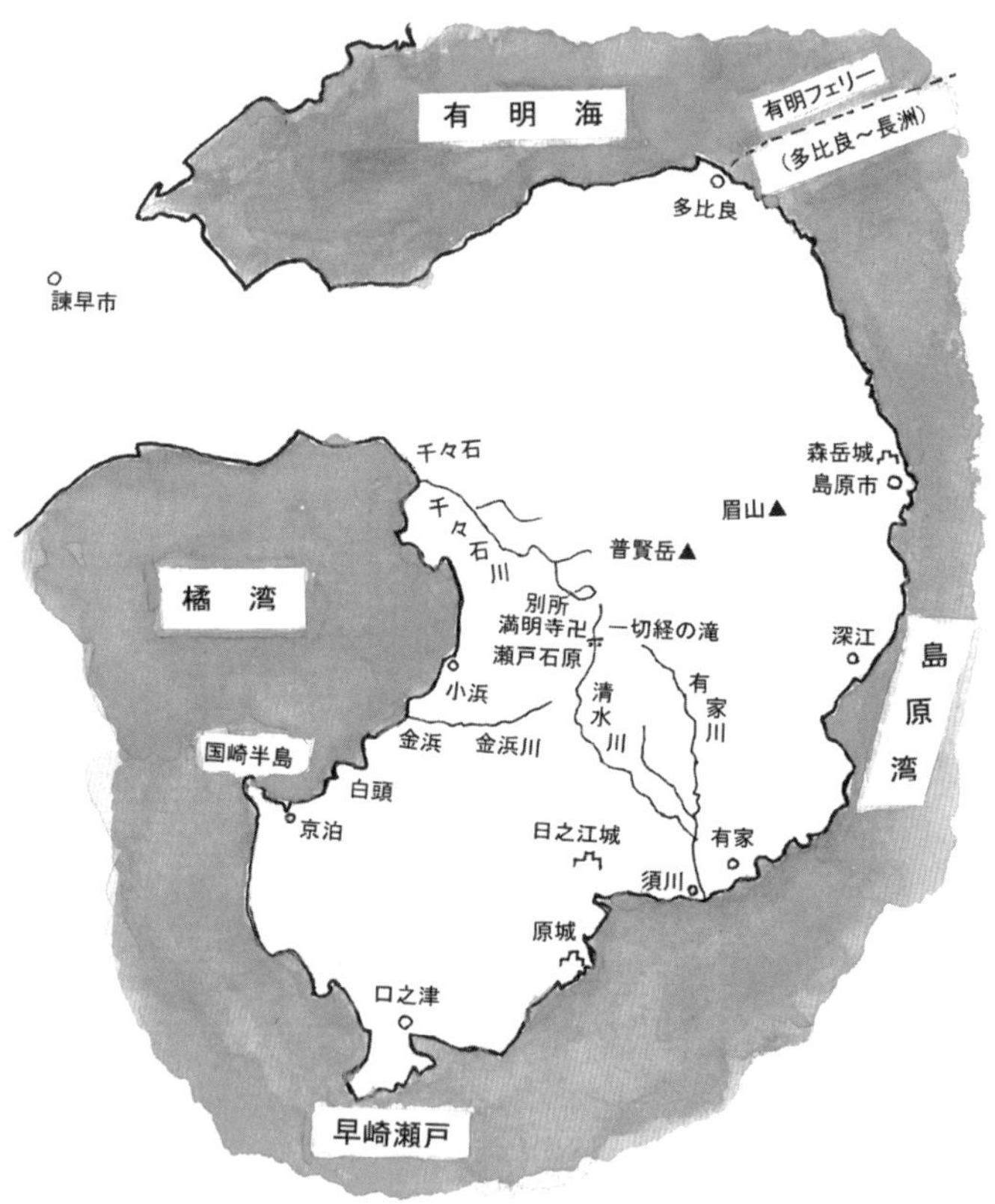

有明海
有明フェリー
（多比良～長洲）
多比良
諫早市
千々石
千々石川
森岳城
島原市
眉山▲
普賢岳▲
橘湾
別所
満明寺卍
一切経の滝
瀬戸石原
深江
島原湾
小浜
清水川
有家川
国崎半島
金浜
金浜川
白頭
京泊
日之江城
有家
須川
原城
口之津
早崎瀬戸

雲仙岳という呼称は、長崎県の島原半島中央部にそびえる普賢岳、平成新山、妙見岳、国見岳などの山々の総称である。「お山雲仙」は、春のミヤマキリシマ、初夏のヤマボウシ、秋の紅葉、冬の霧氷を楽しむ登山客や温泉目当ての観光客で賑わう。

一九二七年（昭和二）に、大阪毎日新聞主催の「日本新八景」をはがき投票で選ぶコンテストがあった。雲仙は、山岳部門の第一位となり、観光客は大幅に増加した。

このとき、「雲仙へ投票しよう」との運動が長崎県下に起こり、県民は一人で何枚も投票し、特に、雲仙周辺の人たちは大量のはがきを買って投票した。まさに、組織票の勝利であった。これに勢いを得て、長崎県は国立公園指定の請願書を国へ提出し、雲仙は一九三四年（昭和九）に国内最初の国立公園の指定を受けた。

昭和初期まで、「雲仙」は「温泉」と表記していた。「温泉」と書いて「うんぜん」と読む。例えば、明治時代発行の『肥前南高来郡温泉案内記』は、肥前南高来郡ウンゼン案内記であり、大正時代発行の『島原温泉案内記』は、島原ウンゼン案内記と読む。温泉岳は、ウンゼン岳であり、温泉鉄道はウンゼン鉄道だった。極（きわ）めつけは、「温泉温泉」で、ウンゼン温泉と読む。まるで、なぞなぞである。

これから先、雲仙を温泉地として全国にアピールするときに温泉温泉（うんぜんおんせん）では、ややこしいというわけで、国立公園に指定された年に「温泉」の名称表記を「雲仙」に変更した。ちなみに、雲仙の名称は、江戸時代の文人墨客たちが温泉山を美称して「雲仙山」と呼んでいたことから採られた。

こうして、長崎県有数の観光地になった雲仙岳が、福岡県の英彦山と同様に修験道が盛んな山であったことはあまり知られていない。

そこで、修験者の山としての雲仙岳の歴史をたどってみよう。

一、満明寺の興亡

(1) 満明寺の創建

雲仙岳は大昔から信仰の山だった。七一三年（和銅六）ごろに編纂された『風土記』によると、雲仙岳には温泉が湧き出ていて、神の山とされており、高来津座という雲仙岳の祭司が高来の郡（島原半島、諫早市、高来町、小長井町）全域を治めていた。宗教と政治が分離されていない時代には、祭祀を行うものが為政者であった。

すべての権力を天皇に集中する中央集権国家を目指す大和朝廷は、七〇一年（大宝一）

に大宝律令を完成させた。律令制度では、土地も人民も政府に帰属するものとして、人民に国の土地を与えるかわりに重い税金を課した。一方、大和朝廷は、仏教を保護育成した。仏教を盛んにし、仏教の加護によって、病気や災害や凶作などの災いを除き、仏教の力が五穀豊穣と国家の繁栄をもたらすことを祈ったのである。

そんな時代の七〇一年（大宝二）に、温泉山大乗院満明寺は雲仙に創設された。温泉山縁起の伝承によれば、満明寺の創建者は行基（六六八〜七四九）であるとしている。行基は、奈良の大仏建造の勧進役を務めた高僧である。

寺社を建てるには、多くの資材と労力がいる。金がいる。

満明寺を建てるための資材と労力と金品を捻出したのは、多比良（雲仙市国見町）の金山に居た護摩長者といわれた人物であった。真言密教の代表者だったので、「護摩長者」という名称で伝承されている。護摩は、密教の秘法の一つで、火を焚いて仏に祈り、煩悩や迷いを焼き尽くそうとする仏教行事である。

護摩長者が住んでいた「金山」という地名から推測すると、護摩長者は鉄の生産にも携わっていた。鉄で儲けた蓄財は莫大だったであろう。現在の雲仙市国見町では、「護摩長者」は「五万長者」と訛って伝えられているが、「五万」には「五万の富」という大金持ちの意味合いを含ませているのであろう。

ところで、大和朝廷は、全国に国司を置いて人民を治めさせた。国司は、民政官、軍政官、裁判官として、ほとんどの権限を朝廷から委譲されていた。国司は、国家の全権を持って地方の国へ乗り込んでくるものの、いわゆるキャリア官僚であって、四、五年もすると次の国司と交代してしまう。

実際に人民を治めていたのは、土着の郡司であり、里長であった。郡司や里長は、かつての豪族の家柄の者や、その土地で何代にもわたって信望を集めてきた生え抜きの有力者が任命された。

護摩長者は高来の郡の郡司であり、しかも、祭祀を統率していた。

彼こそが、『風土記』に記された、高来津座の系統を受け継いだ子孫に違いない。温泉山大乗院満明寺が雲仙に建てられた因果をたどると、護摩長者が高来津座の遺志を受け継いだといえる。

（2）満明寺の被災

こうして創建された満明寺だが、寺の歴史は、火難、人災の連続だった。失火や争いごとによって、そのたびに焼け落ちて衰亡し、復活してはまた人災を被った。創建されてから七七年目の七七八年（宝亀九）には、法権の争いによって焼失した。

その後、満明寺再建のために、肥前の国（長崎県・佐賀県）全部の田畑から、一町歩当たり銭（ぜに）百文を供出させた。それほど寺の威光は大きく、人々の信仰も篤かった。九三一年（承平一）に再び焼失し、その後、百八十余年は仮堂のままだった。

満明寺は、一一一四年（永久二）に定僧上人によって再建された。寺は次第に盛んになり、一五七〇年（元亀一）ごろには、別所（ホテル雲仙東洋館の北方。別所ダムがあるあたり）に七百坊、瀬戸石原（せといしばる）（現在の地名は「札ノ原」。雲仙小・中学校があるあたり）に三百坊、合計一千余の僧坊ができるまでになった。

この頃が最盛期で、西日本随一の伽藍がそびえ、真言密教の修験道場として栄えた。

しかし、平安時代に再建されてから四五〇余年間栄えていた温泉山（うんぜんざん）満明寺は、戦国時代末期の「白雀（びゃくじゃく）の乱」という騒乱によって、あっけなく衰退した。

二、白雀（びゃくじゃく）の乱

元亀（げんき）年間（一五七〇～七二）に起こった白雀の乱は、寺の稚児（ちご）が白いスズメをめぐって争ったことが発端で、僧侶や修験者同士の争いに発展したと言われている。

白雀の乱の記録は、約二〇〇年にわたる島原藩の日誌『深溝世紀（ふこうずせいき）』の中の一六八〇年（延宝八）に、松平忠房（ただふさ）が一乗院満明寺を藩の祈願所として認めたときの記録の中にある。

「深溝」とは、一六六九年（寛文九）から島原藩を治めた深溝松平氏のことである。

白雀の乱が日誌に記録されたのは、事件が起きてから百年以上後のことである。しかも、島原の乱によって炎上した寺の再建を記述することが記録の目的であるから、白雀の乱の事件については、満明寺の簡単な歴史を述べる中の注記として記録されているのみである。

該当の箇所を要約文にして引く。

「文武天皇大宝元年（天平二年ともいう）に僧行基が日本山（ママ）大乗院満明寺という密教の寺を温泉（うんぜん）山に建てた。それから数百年のあいだ寺塔は繁栄し、小さな院もあった。瀬戸石原に三百坊、別所に七百坊の宿坊があった。元亀年間に白雀の乱が勃発し、瀬戸石原の僧たちが別所の宿坊を攻撃し、そこの坊舎すべてに火を放った。

(このとき、瀬戸石原や別所の僧は稚子を養っていた。瀬戸石原の稚子は白雀を籠に入れて飼っていたが、これを見た別所の稚子はうらやましがって、その小鳥を譲ってくれと何度も頼んだ。しかし、瀬戸石原の稚子は、その小鳥を別所の稚子に与えなかった。このことが原因で二人が争っているうち、互いに刺し違えて死んでしまった。

この事態を知った二つの宿坊の僧たちは口論を始め、ついに武器を持ち出して争った。乱戦の中で、瀬戸石原の僧が放火し、別所の宿坊は、ことごとく焼失した。有馬義純(よしずみ)は、三百人の兵を差し向けてこれを制止し、やっとのことで鎮定した。世にこれを白雀の乱という。)

ここにおいて、満明寺はついに衰亡の一途をたどった。その後、寛永年間に有馬の賊が瀬戸石原の宿坊を焼き払って、ついに満明寺を滅亡させてしまった。」

【注】括弧の記述は原本中では注記として記されている。

「寛永年間」の事件とは、寛永一四年の島原の乱のことで、「賊」とはキリスト教の信徒を指している。キリシタンの一団が満明寺を炎上させ、雲仙修験道が滅亡する原因となった。

白雀の乱の概要は以上であるが、この伝承には腑に落ちない疑問点がある。

①稚児の喧嘩が原因で、一千人の僧侶や修験者が武器を取って戦いを始めるであろうか。

②『深溝世紀』を除くほとんどの資料が、白雀の乱のときに寺は焼け落ちたとしているが、瀬戸石原の僧が別所の宿坊に押しかけて放火した後、自分たちの寺に火をつけて何の得があるのだろうか。

これらの疑問を解きほぐすため、事件の起こった背景を追うことにする。

(1) 白雀の乱の背景

フランシスコ・ザビエルが鹿児島に上陸し、日本にキリスト教を伝えたのは、一五四九年(天文一八)のことである。翌年、ザビエルは平戸(長崎県平戸市)で布教を始めた。

キリスト教が平戸領内に広まると、キリスト教の信徒が寺社の仏像や祭器を焼き払い、仏教徒と反目した。両者の抗争は深まるばかりなので、領主・松浦隆信は、キリスト教の布教を禁じた。その後、一五六一年（永禄四）にポルトガル人との殺傷事件が起こり、交易を断念する。

大村（長崎県大村市）の大村純忠（すみただ）はこの期を逃さず、イエズス会の承認を受けて、一五六二年（永禄五）に横瀬浦（西海市西海町横瀬）をポルトガルとの貿易港として開港した。翌年には、大村領内でのキリスト教の布教を許可し、自らも洗礼を求めた。

当時の諸侯がイエズス会を受け入れた主な狙いは、ポルトガルとの交易による貿易利益と鉄砲などの武器の購入だった。時は戦国時代であり、大村氏は、伊佐早（いさはや）（諫早（いさはや）市）の西郷氏、佐嘉（さが）（佐賀県）の龍造寺氏、平戸の松浦氏などに囲まれ、戦闘を繰り返していた。

イエズス会は、大村領内のキリシタンが見せかけの信徒に過ぎず、仏教や神道の信者が温存されていることに不満であった。そこで、領内の布教拡大に手ぬるい大村純忠に対して、次の四つの事項を突きつけ、領内のすべての者をキリスト教信者とするように申し入れた。

①すべての家臣がキリスト教に改宗する。②家臣団を挙げて大村領内のすべての領民を改宗させる運動をする。③寺社仏閣を破壊する。④仏教の僧侶を迫害し、追放する。

ポルトガルと交易するための便宜的手段として受け入れたキリスト教だったが、大村純忠は、やむを得ずこの要求を受け入れた。

純忠の黙認のもとに、宣教師たちは、これらのことを巧妙に布教活動の中に組み込んだ。宣教師は、あたかも、「寺を焼け、仏像を壊せ」と受け取れるように領民に説教した。

領民が寺を破壊したことを仏僧たちが抗議すると、「私は、そのように言った覚えはない。寺を壊したのは、あなた方の檀家なのだから、その人達に壊した訳を尋ねなさい」と、宣教師は白（しら）を切った。

大村純忠は、島原半島が根拠地の有馬氏の出身で、姻戚である大村氏へ婿入りしていた。有馬義直（後に義貞と名乗る）は、弟である大村純忠に勧められて口之津（南島原市口之津町）にキリスト教の教会堂を建てることを許可した。

有馬義直がキリスト教を受け入れたのも、武器弾薬の購入や貿易利益が目的だったが、領主の有馬義直自身が熱心な信者となり、キリスト教の布教を援助し、保護した。

それにより、一五六二年（永禄五）から八年の間に、口之津の領民一二〇〇人のすべてがキリスト教に帰依した。島原でも多くの領民がキリシタンになった（有馬氏の居城は、口之津の日之江城と原城。島原には森岳城という出城があったのみである）。

応仁の乱後、諸国で戦乱が相次ぎ、民衆は不安な毎日を過ごしていた。武士階級も戦いの中に精神的安定を求めた。しかし、仏教は、信者の精神的な不安を払拭(ふっしょく)できなかった。

一方、キリスト教は、布教の方法が実践的で、博愛、慈悲など抽象的なことを説くばかりでなく、病院や救済院を建てた。最新の医療や医薬品で治療し、日本の医師の治(なお)し得ない患者を治した。宣教師たち自身は粗食に耐え、孤児や貧民を救済した。

仏教の僧侶は、衆徒が次々と改宗するので、キリスト教に反抗し、宣教師と宗論を戦わせた。しかし、議論や論争に秀でている宣教師たちに敵(かな)うはずがなかった。

当時の世界の雄であったポルトガルは、イエズス会と手を組み、植民地政策の一環として、貿易とキリスト教の布教をセットにした交易を行っていた。派遣された宣教師たちは、純粋に布教活動を行っていたが、イエズス会そのものは戦闘的な教団であった。

イエズス会は、領主がキリスト教の布教に寛容な有馬義直であることをいいことにして、宣教師の説教の中で「神社仏閣を破壊せよ、仏教の僧侶を島原半島から外へ追い出せ」と信者達にマインド・コントロールを仕掛けたのである。

僧侶や仏教徒とキリシタンとの確執は、脅迫めいた争いに発展した。

こうした状況の中で、白雀の乱は起った。

（2）白雀の乱の原因

白雀の乱の原因は不明のままである。そこで、私は次のように推理してみた。

一五六二年（永禄五）から八年の間に島原半島にはキリスト教の信者が急増したことは、先に述べたとおりだ。その期間は、有馬義直がキリスト教を受け入れてから一五七〇年（元亀一）に隠居するまでの八年間である。キリスト教徒が増えたのは、領主が暗黙の援助をしていた結果だといえる。

有馬義直が隠居したあと、有馬家の家督を継いだ有馬義純は、わずか二年後に死亡した。領主としての期間が短すぎて、義純がどのような人物であったか分からないが、ポルトガルとの交易やキリスト教との関係は父義直の方針を受け継いだであろう。その二年間（元亀一年または二年）のいずれかの年に白雀の乱は勃発した。

そうだとすれば、白雀の乱は、仏教徒とキリシタンとの確執が激化していく過程で起きた事件だと見るほうが自然である。

乱の原因である稚児の喧嘩は、白いスズメの奪い合いだった。はたして、「白雀」が自然界にいるのだろうか。

奈良時代には、めでたいことがあったことで年号を改正した事例がある。神亀（七二四〜七二九年）や宝亀（七七〇〜七八〇年）という元号は、白い亀が出現したり、多くの白い亀が朝廷に献上されたことに因んだものである。

動物界には、黒い色素であるメラニンが先天的に欠乏した遺伝子を持つ個体が現れることがある。アルビノと呼ばれるもので、黒い色素がないので全身が白い。

身近な例では、大村湾で捕れた白いナマコ、平戸沖で捕れた全身が真っ白のエイなどを佐世保市の九十九島水族館で見たことがある。

古来、日本では全身真っ白な動物や鳥が、突然変異的に現れると、神の使いとして、あるいは吉凶の前触れとして畏れられてきた。

『延喜式』の治部省の部に「祥瑞」という項目があり、国家にとって慶事をもたらす前兆として現れる珍奇なものがあげられている。慶事の程度は、大瑞、中瑞、下瑞の三ランクに分けて列挙してあり、中瑞のランクの中に白雀があるという。

『延喜式』の「祥瑞」にヒントを得て、「白雀」は何かを暗示しているのではないかと考えた。

『延喜式』のいう「国家にとって慶事をもたらす前兆として現れる珍奇なもの」を発

展させると、「ありがたいもの」「尊いもの」といえる。仏教徒にとって、ありがたく尊いものは仏教の経典であり、キリスト教徒にとっては、聖書である。とすると「白雀」はキリスト教徒にとっての聖書のようなものではないだろうか？

キリスト教に転向しようとする稚児を思いとどめようとして、彼が隠し持っていたものを取り上げようとした。おそらく、小さな十字架、マリア像が彫られたメダル、マリア像に似せた観音像だったかもしれない。そのことを稚児の飼っている白い雀の取り合いとして表現した。そうだとすれば、二人の稚児の争いは宗教上の争いであり、単なる稚児同士の喧嘩では済まされない。

天正年間（一五七三～一五九一）に僧侶の一部がキリシタンに転向したという記録がある。キリスト教に改宗することを内密にしている修験者は、思いのほか多かった。それが一度に露見し、大きな争いとなった。騒乱の最中に、キリシタン転向者が宿坊に火をつけた。宗教上の争いならば、キリシタンに転向しようとする修験者が満明寺に火をつけることも可能性がある。もっと勘ぐって推理すれば、満明寺焼き打ちが目的で破壊工作員を送り込んだ可能性だってある。

こうして、白雀の乱は起こった。

白雀の乱後、雲仙岳の修験者は雲散霧消して、満明寺の修験組織は解体されたことと同じになってしまった。

三、江戸時代の満明寺

徳川幕府となりキリシタン禁止令が出され、キリスト教を捨てた一四代藩主有馬直純は、一六一四年（慶長一九）に日向国延岡藩（宮崎県延岡市）に転付された。

そのあとの島原藩主となった松倉氏の過酷な悪政に反抗して、一六三七年（寛永一四）に、天草四郎時貞を首領とするキリシタンが農民や武士階級を巻き込んで一揆を起こした。「島原の乱」と呼ばれるこの一揆で勢いを増したキリシタンは、寺と僧坊をことごとく焼き払った。このとき満明寺も焼き打ちに遭った。

一揆を鎮めようとする幕府の威信をかけた軍勢に対して、キリシタンや島原半島の農民は、原城に立て籠もって戦い、全滅した。この戦いによって島原半島の住民の七割が死亡したのである。

島原の乱で領民のほとんどがいなくなった島原藩の藩主に着任した高力忠房は、九州諸国や四国の小豆島から農民を移住させて農地や産業の復興に努めた。

寺の復旧にも熱心で、一六四〇年（寛永一七）には、荒廃していた温泉山（うんぜんざん）大乗院満明寺の跡に一乗院満明寺を建立した。しかし、高力忠房の後を引き継いだ高力隆長が藩の財政立て直しに重税を課したため領民は疲弊し、高力氏は二代で他藩へ転封させられた。

この後を受けて、一六六九年（寛文九）に丹波国福知山（京都府福知山市）から島原藩主として赴任した松平忠房（ただふさ）は、善政を尽くした。農耕殖産に力を注ぎ、貧民と飢える者をなくすために、物価を安定させ、容赦なく取り立てていた諸税を廃止した。民心の安定と民風の統一に心をくだき、神仏を崇拝し、領民たちの心の中に敬神崇祖の美風を作りだそうと努めた。神社の祭祀を正し、寺法と僧格を定め、戒律を勧め、破戒をこらしめた。

一六八〇年（延宝八）、松平忠房は、高力忠房が建てた温泉山一乗院満明寺を島原藩の祈願所として認可した。また、後年、一乗院を守護する神社である温泉山四面宮を改築した。当時の寺は、神仏混淆（しんぶつこんこう）であったので神社も寺の境内にあった。

こうして、江戸時代の一乗院満明寺は、歴代島原藩主の庇護により雲仙修験道の本山として安定を保つことができたのである。

しかし、一八六八年（明治一）、明治政府の神仏分離令により、全国の修験道の山は壊滅させられた。明治政府は、神道を生かし仏教を捨てさせた。修験道はもともと神仏混淆の宗教であるから、神道と仏教を二つに切り離すことはできないので、壊滅したのと同じであった。

満明寺の温泉山四面宮は、筑紫国魂神社と改称された。雲仙の一乗院満明寺は取り潰され、南串山町の京泊へ移されたが、信徒もなく、寺を守る僧侶は二名のみであった。

四、経巻流しの伝説

温泉山大乗院満明寺の伝説によると、行基が満明寺の建立を祈願して、二七日の間、一切経の経文を唱えたところを一切経の滝といい、満願の日に行基が滝に流した経巻（経文が書かれた巻物）が流れ着いたところが京泊（雲仙市南串山町京泊）であるという。

行基は一五歳のとき出家した。寺で修行していた行基は、やがて寺を出て、農民に仏教の教義である罪悪と福徳について説いた。説教を聴いて、行基を慕う農民は数千人に膨れ上がり、宗教集団を形づくるまでになった。行基は、布教をするだけでなく、信者を動員して道をつくり、摂津国（大阪府）や山城国（京都府）の各地に大きな橋を架け、田畑の灌漑用の溜池や水路をつくった。畿内各地に四九の寺院を建てた。

数々の実績を見た政府は、国家の大事業である大仏建造にあたり、行基を勧進役に抜擢した。農民たちに労役提供を求めるために、民間布教僧として人気のある行基を利用したのである。ついに、七四五年（天平一七）には、僧侶の最高職である大僧正に任命された。

一切経の滝は、雲仙岳の冷たい伏流水が流れ出した川にある落差七メートルの小さな滝で、雲仙の国民宿舎青雲荘から徒歩で一五分ほど下ったところにある。ここは、雲仙岳が修験の山であった頃、修験者が修行をしていた場所の一つで、瀬戸石原の宿坊からも近い。

行基は、この滝で一心不乱に経文を唱え、満明寺建立の願をこめて経巻を水へ流した。滝の水は清水川となって、南島原市西有家町須川で島原湾に注ぎ込んでいる。行基が流した経巻は、清水川を流れくだり、島原湾に浮かんだ。そして、島原半島沿いを時計回りに漂っていき、京泊に流れ着いた。

南串山町京泊は、島原半島の西側にあり、西有家町須川からは、半島最南端の口之津

町を経由して、ぐるりと半円を描くように約三〇キロ行った所である。島原湾に浮かんだ経巻が、天草島との間の早崎瀬戸を抜けて橘湾にある京泊へ流れ着くには、複雑な海流を上手に乗って行かねばならない。

この伝説を読んだとき、いくら伝説とはいえ、余りにも不自然に思えた。行基の伝説を島原半島の地形に重ね合わせると、京泊を満明寺にゆかりの土地とするには無理が生じる。不可能を可能にしたのは、神仏の加護のお陰だと思うほかはない。

ところが、小浜町の郷土史『小浜町史談』（昭和五三年三月発行）を読んでいると、小浜町から雲仙へ登っていく情景描写の一節が目にとまった。

「笹ノ辻から六町ばかりは、急坂つづきであるため疲れた。しかし木指岳を前にして、深い谷を隔てて、西部の村々が見おろされて絶景である。（中略）これから山腹を回り野径を登れば長坂という峻坂がある。右の方の谷は札ノ原の流水をうけて金浜川の水源であるが寛政四年の地震のとき、地殻の変動で流水は途中で消え、下流になって吹き出ている。（傍線は著者）

長坂を登り切ると札ノ原に出た。人家が二軒あった。ここは瀬戸石原という所であるが、城主松平氏が制札（禁令条項を記した立て札）を立てていたので札ノ原という。」

『小浜町史談』によると、現在は、笹ノ辻あたりの谷が源流のように見える金浜川は、もともと一切経の滝とつながっていたと記してある。

行基の伝説を読んだとき、雲仙を水源とした水流が、半島の西側に流れ込む川を探した。金浜川にも目をつけたが、水源が一切経の滝より離れたところであったため検討をあきらめていた。ところが実際は、江戸時代後期の大地震のときまで、清水川と金浜川は源流を同じくする川で、東西に分かれて流れていたのだ。

大自然の力は計り知れない。一七九二年（寛政四）の普賢岳の噴火にともなう地震によって、眉山の南側が崩壊した。くずれた山は島原城下を飲み込み、有明海に津波を引き起こし、島原地方と対岸の熊本県に合わせて一万五千余人の死者を出した。

そのときから、島原市内には、大量の湧水が噴出するようになった。一方では、金浜川の源流付近の流れを伏流水に変えてしまった。江戸時代の大地震が起こる前までは、金浜川へも滝の水が流れ込んでいたのである。

――行基が一切経の滝に流した経巻(けいかん)は、金浜川をくだって小浜町金浜に浮かんだ。その後、橘湾を西方へ流されて六キロ先の国崎半島に阻まれて止まった。そこが京泊(きょうどまり)であった。

これなら、十分に信じられる話である。

土地の人は京泊を「きょうどまる」と発音する。これは、「きょう・とまる」が訛ったもので、「経止(きょうと)まる」の伝説と一致する。

明治時代の神仏分離令によって雲仙の一乗院満明寺は取り潰され、南串山町の京泊へ移された。七〇一年(大宝一)に創建されて以来、満明寺が数々の変遷を経てたどり着いた場所は、行基が流した経巻が流れ着いた京泊だった。

これは、伝説が導いた因果のように思える。

行基が雲仙へやってきて満明寺を建てたとすれば、三四歳のときだが、行基の活動範囲は畿内周辺が中心だったので、雲仙へ来た可能性はない。経巻流しの伝説は、修験者の修行の場所を神聖化するために、著名な高僧であった行基と結びつけて作り出されたものであろう。

しかしながら、行基が一心不乱に一切経を唱え、二七日後の満願の日に経巻を川へ流したという伝説が、私の命を救ってくれたのだと思っている。

私は、四歳のときに疫痢にかかり、伝染病隔離施設に収容されていた。その隔離施設は、行基の流した経巻が流れ着いたという京泊にあった。敗戦により、中国の上海（しゃんはい）から着の身着のままで引き揚げてきて、雲仙市南串山町白頭（しらと）にある母の実家に身を寄せていたときのことだった。

食べるものに乏しく、衛生状態がよいとはいえず、医療体制も整っていなかった。いつ死んでもおかしくない状態から命を取りとめたのは、経巻（けいかん）のお陰であろうと思っている。

祖母山の二つの伝説

祖母山（そぼさん）1756m　在所：大分県豊後大野市緒方町

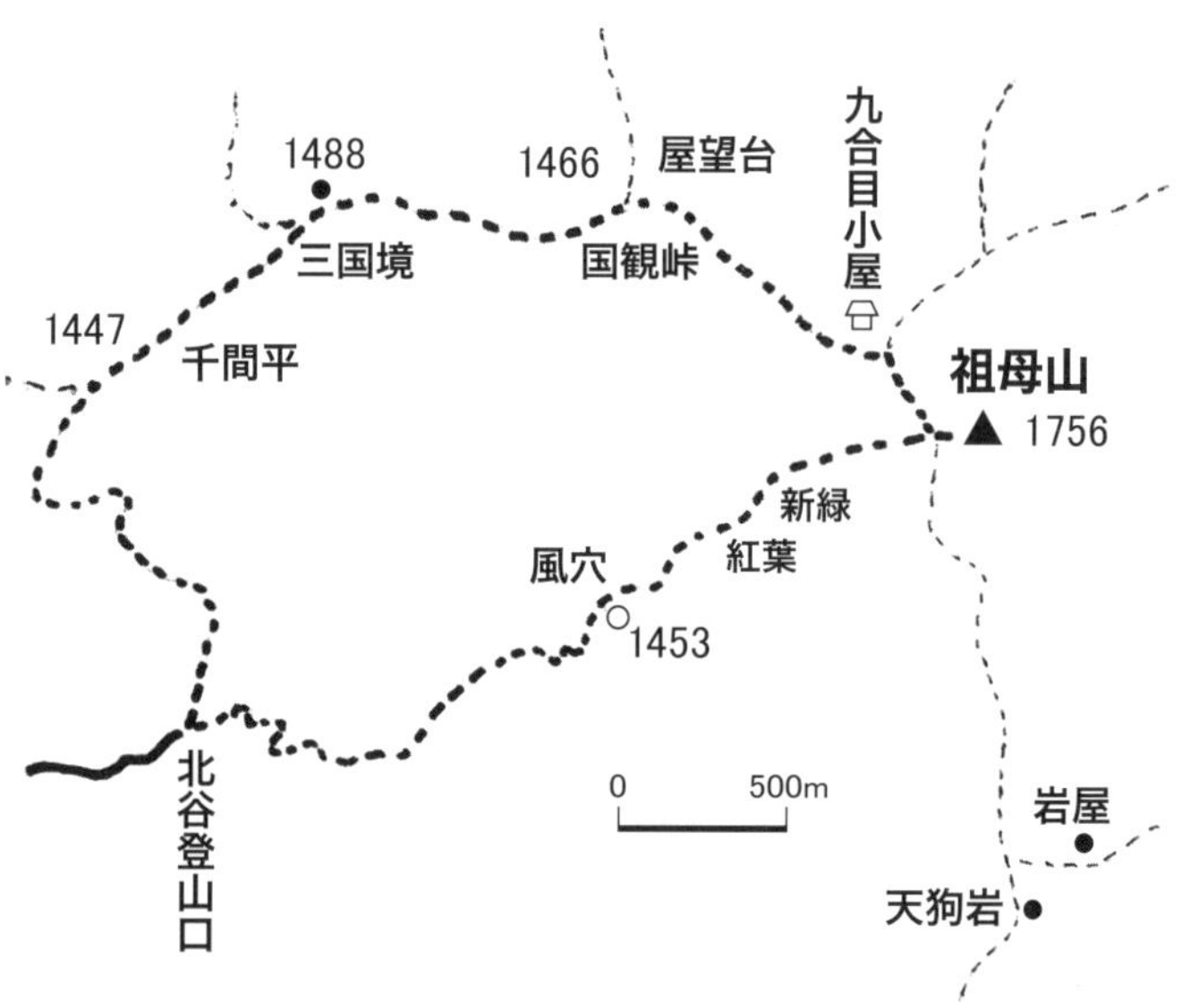

一、二等辺三角形

例年なら、とっくに紅葉の季節であるが、一一月になっても暖かい日が続き、木の葉の色づきが遅れている。

祖母山（そぼさん）の紅葉はどうであろうかと、期待と不安をないまぜにして、早朝五時に佐世保を出発した。今日のメンバーは、ヒロ、トシ、テルの三人。九州の南海上には前線があるものの、九州はすっぽりと高気圧に覆われて、山間部も雨の心配はないようだ。祖母山の登山路は滑りやすく、渓谷を歩かなければならないところもある。水量が多いときには、対岸へ渡れないこともある。雨は、要注意なのだ。

祖母山（一七五六ｍ）は、宮崎県、大分県、熊本県にまたがる連山である。山頂までの道のりは、整備された登山道から獣道同然の道まであり、色々な山歩きが楽しめる。山は深く、岩場が露出している稜線を除くと、森に包まれてうっそうとしている。山頂近くの背丈以上もあるスズタケの中はまったく見通しがきかない。ひとたび山中で道に迷うと二日や三日は迷い続けるほどの原生林である。

傾山（かたむきやま）へと連なる縦走路には魅力的な岩場が多い。上級者は、断崖をよじ登るロッククライミングのスリルを味わう。あるいは、祖母山、傾山連山を巡り、全行程三十数キロの道のりを二、三日かけて縦走するコースに挑む。祖母山から傾山までの約一八キロの稜線は、健脚な者でも、丸一日を要する。

祖母山へのメインルートの登山口である尾平（おびら）は、大分県緒方町から約三〇キロ奥地にある。標高六五〇メートルの尾平登山口から祖母山までの標高差は一一〇六メートルである。

九州で人気のある久住山（一七八七ｍ）への登山口である長者原（ちょうじゃばる）から久住山頂までの標高差は七五〇メートルである。山の高さは祖母山の方が低いが、登山口からの標高差を比べると、祖母山の方が三五六メートルも高い。

今回は、宮崎県高千穂町五ヶ所にある北谷登山口から祖母山をめざした。山頂までの標高差六五六メートル。山頂までの距離は、約五・三キロ。このルートの往復は、初心者がハイキングコースとして楽しめる最も楽なコースである。

山の観光開発が進み、山頂付近まで車で入り込める山が増えた。便利になるのは良いが、山の本来の魅力が失われた山も多い。舗装された車道が登山路を横切り、山頂近くで車のエンジン音が聞こえる山は、登山者をがっかりさせる。開発と車公害で自然環境が壊され、心無い人たちの捨てたゴミが環境破壊に追い討ちをかけている。

祖母山は、一時期の森林伐採から逃れた豊かな原生林が保全されて、まだ多くの自然が守られている山だ。

北谷登山口は、五ヶ所・木村から大谷川沿いの谷あいを約八キロ入ったところにある。車がやっと通れるほどの道は、途中から簡易舗装が途絶えた。道路のあちこちに直径四〇センチほどの穴ができている。あるいは、大きな石がむき出しになり、コブをつくっている。雨が降るごとに、山林から流れ出る水が勢いのよい小川となり、道路を横切って谷へ流れ落ちる。その時、小川は道路を浸食して道に起伏をつくる。こうして出来たコブや穴を避けて、車は前後左右に揺れながら登っていく。悪路になればなるほど、ヒロの四輪駆動アウトドア車は、その本領を発揮する。山道を走ること三〇分ほどで登山口に到着した。

登山口には、すでに十数台の車が駐車しており、駐車スペースはない。やむなく引き返して、離合可能な場所の路肩に駐車した。タクシー三台に乗り合わせたパーティーや、ツアー客を乗せた小型ワゴン車など、次々と登山客がやってきた。ざっと数えると、北谷登山口から登る者だけでも、七〇人ほどになる。

北谷から千間平(せんげんだいら)の尾根へ登り、稜線伝いに国観峠(くにみとうげ)を経由して祖母山山頂を目指すのが本日のルートだ。帰路は、風穴コースをくだる。はしごや補助ロープを伝って急坂をくだり、背丈以上に伸びたスズタケの群生を掻き分け、洞窟から風が吹きだしている「風穴(ふうけつ)」を経由した後、渓流の中を歩いて登山口に戻ってくる。

このルートの山頂をA、稜線の千間平をB、登山口をCとすると、山頂を頂点とする二等辺三角形に近い形ができる。

北谷登山口(C)から千間平(B)までは、三角形の底辺を歩くことになり、山頂(A)へは近づかず、直線距離はやや離れていく。つまり、山頂は東にあるのに、北谷登山口から千間平の尾根へ登りきるまでは、真北を目指して三角形の底辺を歩くことになり、山頂へは少し遠ざかる。

B点までは、祖母山の大きな塊(かたまり)の西斜面を登っていく。道はよく整備されて歩きやすい。しかし、杉の植林地帯や自然林の中を行くので、ほとんど展望はできない。

二合目の標識を過ぎるとすぐに水場がある。導管が引かれて、コップも置いてあったが、水は涸れていた。ここで、水を調達しようとした者にとってはショックであろう。

水が流れていない筧(かけい)には、蓑虫が下がっていた。

三合目についた。道沿いのナンキンハゼが真っ赤に紅葉している。所々で西側の谷間が開け、正面には千間平の尾根が見える。今年は、いつまでも暖かかったせいで紅葉に精彩がない。尾根の紅葉はすでに終わっているのか、ぼんやりとくすんでいる。稜線の木々の天辺付近はすでに落葉し、枝があらわになって白っぽく見える。

千間平へ続く稜線まで登ってきた。ここが標高一四五五メートル。そのまま北へ直進すると、熊本県高森町神原へ至る。東へ進路を取ると、千間平までの緩やかな上り坂が、何の変哲もなく国観峠まで続いている。

西から来ている道は、祖母嶽神社の一の鳥居からのルートであったが、今はスズタケが生い茂り、迷いやすいので廃道とされた。往時は、一の鳥居付近に宮崎県営の山小屋があった。

一九六八年（昭和四三）発行という古いガイドブックでは、この廃道が高千穂町五ヶ所からのメインルートであり、本日歩いてきた道は、まだルートとして記されていない。登山道も時代と共に変遷する。

二、ウェストン卿

千間平への稜線は林が邪魔をして展望は良くない。緩やかな坂を登っていくと、林を少し切り開いてつくった広場がある。登山口から、ちょうど一時間かかった。

広場で休憩していると、若いカップルが下ってきた。時計を見ると一〇時三〇分である。北谷から山頂へ登り、もと来た道を帰っているのなら、登山口を午前六時前には出発しているはずだ。それとも、昨日縦走し、九合目小屋で一泊した後、北谷へ降りているのだろうか。呼び止めて、尋ねてみようと思って腰を上げようとする間に、すたすたと通り過ぎてしまった。

「ウォルター・ウェストンが日本アルプスに登る前に、祖母山に登っていたことは知っているだろう」

二人が通り過ぎるのを目で追いながらヒロが言った。

「ウェストンは、高千穂町五ヶ所から一の鳥居を経て尾根伝いに登っている。先ほど見たとおり、今はスズタケで覆われてしまった道だ」

「一の鳥居まではどうしてきたのだろう?」

テルは、車で登ってきた悪路を思い出している。

「もちろん、徒歩だ。一の鳥居まで、約一時間半かかる。明治時代の五ヶ所村に人力車夫がいるはずはない。車といえば、牛に引かせた荷駄車ぐらいのものだった」

「一日で往復できたのだろうか」

「江戸時代から、山頂の上宮へ参詣に行っていたくらいだ。往復するのに約七時間から八時間程度だったから日帰りは十分可能だった」

ウォルター・ウェストン(一八六一~一九四〇)は、イギリスの宣教師で、一八八八年(明治二一)から一八九五年(明治二八)まで日本に滞在した。滞在の間に、全国の山に登り、なかでも日本アルプスの素晴らしさを日本全国に知らせた人である。

日本におけるそれまでの登山は、山岳宗教に根ざした宗教的な色合いの強いものであったが、彼は、スポーツとしての登山の魅力を紹介した。

祖母山に魅了されたウェストンは、阿蘇山に登った後、五ヶ所・河内から日帰りで祖母山へ登っている。宮崎県の上野村、田原村をたびたび訪れていた宣教師J・ブランドラムを伴って、一八九〇年(明治二三)一一月六日に五ヶ所の部落から歩き出し、尾根伝いに山頂へ登り、復路も同じ道を下りた。彼が北アルプスの槍ヶ岳へ登る二年前のことである。

その頃、祖母山の高さは一九〇〇メートル前後と見積もられ、九州で一番高い山だといわれており、彼もそれを信じていた。その後の精密測量で、一七五六メートルと分かり、下方修正された。

横道にそれるが、九州本土で最高峰の山は、九重連山の中岳（一七九一m）である。以前は、久住山（一七八七m）が最高峰だといわれていたが、精密測量により、中岳に主峰を譲った。また、大船山（一七八六m）と久住山の標高は、実際は、数十センチの差しかない。多くの登山者によって頂上が踏み固められて、高さが逆転したこともある。精密測量は、山に対して人々が抱いていたそれまでのロマンを壊してしまうという、罪つくりの面もある。

ウェストンは、日本山岳会の設立（一九〇五年）にも努力した。日本山岳会宮崎支部は、一九八五年（昭和六〇）に創設され、以後一一月三日にウェストン祭を開いている。何故、ウェストンが祖母山に登った一一月六日にしないのだろうかと、変な突っ込みを入れたくなるが、一一月三日は祝日だし、人が集まるには都合がよいのであろう。それに、文化の日だもの、登山文化を高めるにはいい日だ。

宮崎県のウェストン祭は、五ヶ所高原の県道沿いにある三秀台という小高い丘で行われる。三秀台は祖母山、阿蘇山、久住山が望める見晴らしのいい丘で、そこにウェストンのレリーフをはめ込んだ記念碑が建っている。

「ウェストンが飛騨山脈（北アルプス）、木曽山脈（中央アルプス）、赤石山脈（南アルプス）を総称して日本アルプスと名付けたものと思っていた。しかし、どうも彼ではないらしい」

と言ってヒロは、二人の反応を待った。

「え、？　ウェストンではないのかい」

トシとテルは、すぐさま問い返し、納得がいかない顔をした。

「ウェストンの著書『日本アルプス　登山と探検』によると、名付け親はチェンバレン教授らしい。その一節を読んでみよう」

ヒロは、リュックの中から文庫本をとりだした。

《私は、チェンバレン教授が数年前その景観を賞賛した記事を読んで、この巧みにも名付けられた「日本アルプス」という大山系に、初めて注意を向けた。私は、その後幾度もこの山系を訪れたが、国土の八分の七が山である日本でも、他に類を見ない雄大な山の景観美を次々に発見した。これらの荒涼とした山脈は、鎖国により日本が世界から孤立していたと同じくらいに、厳しい自然環境によって守られ、孤立していた秘境であった。日本でこのように多種多様な自然美を見出せるところは、外にはない。これらの峰々には、ヨーロッパアルプスのように、山腹に氷河こそないが、豊富な亜熱帯植物からアルプス的な雪にいたるまでそろっていて、何一つ欠けたものがないからである。》

B・H・チェンバレンは、一八七三年（明治六）に来日し、英語教師を務めた後、一八八六年から東京帝国大学教授になった。当時の著名な日本文学研究家でもある。ウェストンの本業は宣教師であるが、登山への情熱も並大抵なものではない。当時の十分ではない装備で、案内を務めた猟師や木こりが役目を辞退したいといいだすほどの危険な冒険を何度も行っている。

『日本アルプス　登山と探検』には、明治時代の風俗を知ることができる記述が多く興味深い。そのうちから、地図に関する事柄を拾い出してみると、

乗鞍岳へ登った時、ウェストンたちは、平湯温泉（岐阜県高山市奥飛騨）をベースキャンプとした。乗鞍岳は、剣ガ峰（三〇二六m）をはじめとする二三峰の総称である。

今では、平湯峠から山頂付近まで乗鞍スカイラインが延びてきて、シーズン中は都会の街中のような賑わいだが、江戸時代までは修験者の山であった。

同じ宿に泊まっていた政府の官吏が、近隣の山々の麓付近の部分が描かれた地図をウェストンに見せた。おそらく、農商務省へ提出する鉱山調査のための報告書に関連した地図を描いていたのであろう。その地図の高い山の部分は登山が非常に困難なために十分に描けていなかった。官吏たちは、ウェストンたちが乗鞍岳を探検した後で、その事柄についてどんな情報でもよいから話してもらえたらありがたいと言った。

明治時代には、山岳部の測量が十分にできなかったことが分かる。山岳の地形を正確な地図にすることすら難しかった。祖母山の高さが一九〇〇メートル程だと推定されていたとしても無理はない。

三、県境の山

千間平から国観峠までは、アップダウンのある緩やかな登りが一・五キロほど続く。その道を三〇分歩くと、大分県、宮崎県、熊本県の県境・三県境（三国境）である。

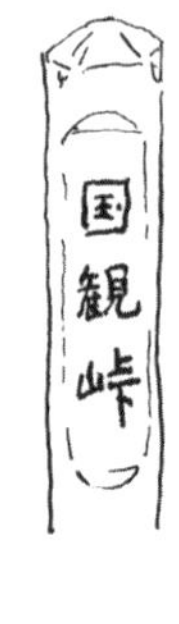

国観峠のサミット

これまでは、宮崎県と熊本県の県境を歩いてきたが、これからは宮崎県と大分県の県境を歩くことになる。

三県境から北へいく道の道標に越敷岳、緩木山まで二時間三〇分と書いてある。見晴らしがよければ、左手には、二つの山が見えるはずだ。あの時、二〇〇四年（平成一六）一〇月に登った二つの山が見えるはずだ。あの時、ススキが生い茂った中を南へ伸びる細道が続き、分岐点に「祖母山へ至る」の道標があったことを思いだして、越敷岳、緩木山が祖母山系の山の一つであることを再認識した。

一一時二〇分に標高一四六六メートルの国観峠へ着いた。かつては、ここに祖母嶽神社の二ノ鳥居が建っていた。国観峠は見通しのいい原っぱで、祖母山の山頂が目前に見える。以前の国観峠は林の中の一本道であったが、遭難救助のヘリコプターが発着できるように、周囲の樹木を切り払って草原の広場をつくった。

大分県竹田市の神原（こうばる）登山口から五合目小屋経由で登ってきた道がここで合流する。祖母山の登山路は、色々なルートがそれぞれに異なった魅力を持っている。

テルが一句詠んだ。

国風（くにぶり）の交わる峠木の実降る

リュックに鈴をぶら下げた男がおりてきた。鈴は歩くたびに大きな音を響かせる。北海道の知床五湖を巡ったとき、現地の山岳ガイドが「クマに気をつけてください」と鈴を鳴らしながら先導して歩いた。「こんなに人が大勢いるところに、クマなんか出てこないよ」とウサン臭そうに小声でうそぶいた観光客がいたが、近年は人里にいても熊に襲われることが多い。油断は禁物なのだ。

しかし、九州に生息していたツキノワグマは絶滅してしまった。九州の山で鈴を鳴らして歩いても、小鳥を驚かす効用しかない。今まで、まったく小鳥の声が聞こえなかった。おかしいなと思っていたが、この男のせいに違いない。

国観峠から山頂までは、標高差二九〇メートルの急坂を登らなければならない。雨の日に流水で削られた赤土の道は滑りやすく、木の枝や木の根につかまり、補助ロープの助けを借りて一歩一歩登った。

七〇歳がらみの老夫婦が休んでいる。のんびり紅葉を楽しむ風情で、先を急ぐ様子はない。

「元気ですね」

と声をかけると、首にかけたタオルで額の汗を拭いて、

「いや、もう歳ですよ。坂がきついとすぐに息があがる」

「ご夫婦で登山ができるとはうらやましい」

「仲がいいのは、山に登るときだけですたい」

夫婦は、ハッハッハと大きな声で笑い、

「これから先は、最後の坂ですよ。頑張って」

と逆に励まされた。

熊本から来たという若い女性四人に追いついた。

四人は、後をついてこられることを嫌ってか、私たちに先をゆずる。彼女達と話をしながらゆっくり登ろうかと思ったが、しつこいストーカーと思われてもまずいので、追い越した。

九合目着一一時五〇分。「Q合目小屋はこちらです」の文字と、左方向へ向く赤い矢印を書いた標識が木に結び付けられている。「Q」は「九」の洒落である。

九合目小屋は、風力発電と太陽光発電装置を備え、電気がある快適な山小屋だ。小屋番のKさんが、祖母山の状況を定期的にインターネットで伝えている。立ち寄りたかったが、直接頂上をめざした。赤土がえぐりとられ、木の根がむき出しになっている。樹木に申し訳ないが、木の根を滑り止めにしてよじ登った。九合目から二五分で山頂へ着いた。

祖母山を遠くから見ると山頂は直角三角形をしている。ピラミッド形の容姿は登山者の心を沸き立たせる。山頂付近は岩場で、崖が切り立っている。狭い山頂は人でいっぱいだ。ちょうど昼時で、ほとんどが弁当を広げている。景色を楽しむことを後回しにして、食事ができる場所はないものかとあたりを見回すと、三角点近くにいたパーティーが腰を上げた。すばやくその場所を確保する。

手早く日本酒をぬる燗（かん）にして、乾杯する。帰りのルートを考慮に入れると、酒は口を湿らす程度にしておかねばなるまい。お湯を沸かし、インスタントのワンタンスープをすすり、おむすび弁当を頬張りながら雄大な広がりを楽しんだ。

祖母山からの稜線を南へたどると、天狗の岩場と烏帽子岩の異様な塊が見える。稜線に突き出した天狗岩には、リッジ（狭い稜）を渡ってよじ登る。空中に突き出した岩の上では絶景とスリルが味わえるが、強風の時は立ち寄らない方がよい。たとえ無風であろうと、高所恐怖症にとっては無縁の岩である。

南に伸びた稜線は、障子岳（一七〇三m）で東へ向きを変えて古祖母（一六三三m）へと続く。稜線をさらに東へたどると傾山（一六〇五m）である。

傾山の切り立った岩の稜線は北へ伸びている。三・五キロの巨大な岩の絶壁は人を寄せつけない。神々しい景色に、しばし息を飲む。

祖母山から東北に伸びる馬の背（一五七三m）、大障子岩（一四五一m）の荒々しい岩壁の稜線も素晴らしい。

豊かに茂る森、深い渓谷、険しい岩山をあわせ持つ巨大な山岳の中にいると、人間はチッポケな生き物にすぎない。

四、尾平鉱山と祖母山の歴史

東側の谷を千メートル下ったところにある尾平(おびら)の集落が小さく見えている。「尾平は、鉱山があったところだ。尾平に鉱脈があることは、戦国時代の一五四七年ごろから知られていたらしい」

箸で眼下を指し示し、握り飯を頬張りながら話すトシの言葉は聞き取りにくい。「鉱脈」が「こんにゃく」に聞こえる。

「尾平には、こんにゃく畑があるのか」

ヒロがこんにゃく問答を仕掛けたが、トシは相手にしない。

「尾平鉱山からは錫(すず)が採掘された。わずかであるが銅や銀も産出された。江戸時代になって本格的に豊後国の岡藩による採掘が始まり、一六一七年（元和三）から幕末まで行われた。採掘された錫は、岡藩の重要な財政源だった」

「掘り出した錫は、何に使われていたのかい」

と、今度はまともな問いかけをした。

「いい質問だ。岡藩は幕府の許可を受けた貨幣鋳造所で貨幣を造った。城下（現在の竹田市）の銭座では、一六三六年（寛永一三）から一六三九年（寛永一六）まで、江戸時代の代表的通貨である寛永通宝が鋳造されていたのだ」

寛永通宝は、寛永年間以降に鋳造された通貨も寛永通宝と呼ばれた。銅、真鍮（しんちゅう）、鉄製で、四文銭と一文銭があり、庶民の生活に一番密着した通貨であった。とは言え、岡藩での貨幣鋳造は一時的なもので、尾平鉱山の採掘量は、江戸時代中期から減少し、以後は細々と掘り続けた。

大正時代に三菱などの財閥が鉱山を管理するようになって生産量が増大し、昭和二〇年代には、人口二五〇〇人ほどの町が形成されるまでになった。しかし、鉱物資源には限りがあり、いつかは枯渇する。尾平鉱山は、一九五三年ごろには掘りつくし、翌一九五四（昭和二九）に閉山した。

尾平鉱山の鉱石は、祖母山の火山活動の忘れ形見のようなものであった。地球の悠久の時間の中では、ほんの一瞬である江戸時代から昭和初期の時代にかけての間に、その忘れ形見を人間という生き物が掘り尽くしてしまった。

九州には、金銀を採掘した鯛生鉱山（大分県）、錫、鉛、亜鉛を採掘した見立鉱山（宮崎県）、銅を採掘した槙峰鉱山（大分県）などの有数の鉱山があったが、どこも尾平鉱山と同様の運命をたどった。

「祖母山が活火山だった頃は、過去、六回にわたり大噴火をしている。当時の祖母山の山頂は、今われわれが居るこの場所ではなかった」

とヒロが話題を変えた。

太古の昔、祖母山の山頂はどこにあったのだろうと空想をめぐらしながら、山頂の一等三角点を見つめていたテルは、

「過去って、いつごろのことかい」

と振り返って尋ねた。

「今から、一三〇〇万年前に噴火を始めた。しかも、祖母山はカルデラ火山だった。カルデラは、盛んに活動を続けていた火山が噴火を休息したとき、地下のマグマだまりが空になるため、火山全体が陥没してできる巨大なクレーターだ」

「カルデラ型火山としては、阿蘇山が有名だが、祖母山は普通の山と同様の格好をして

いるし、カルデラらしきものもない。とても信じられないなあ」
「それはもっともなことだ。まあ、話の続きを聞きなよ。カルデラ火山の典型は阿蘇山であるが、祖母山はそのようには見えない。これは、いわゆるコールドロンといわれるもので、かつてはカルデラであったところがその後の地殻変動と侵食によって、カルデラ火山の様相が消えてしまっているのだ」

地質調査によって、祖母山と傾山にはカルデラ型の陥没があったことが一九七三年（昭和四八）に確認された。祖母山のカルデラの大きさは、長径一七キロ、短径一一キロ、傾山のカルデラは長径一二キロ、短径六キロであった。東西一七キロ、南北二五キロもある阿蘇山のカルデラよりは、やや小さい。

祖母山が活動を始め、傾山はそれより少し遅れて噴火を始めた。二つの山は、大量の火山岩を降らせ、火砕流や溶岩が流れ出していた。祖母山と傾山は、いわば双子の火山だったのである。

祖母山は六回の大爆発を起こした。三回目と四回目の大噴火の間に、断層活動によって火口周囲が陥没し、カルデラが形成された。祖母山カルデラの落差は一千メートルもあったと考えられている。落差一千メートルといえば、祖母山の山頂から尾平登山口の標高差に相当する。

その後も火山活動は続き、噴火のたびに噴出された火砕流によって、陥没したカルデラが埋没してしまうほどの噴火を繰り返した。祖母山は、一〇〇〇万年前ごろに活動を終えて、以後眠り続けている。死火山となった後は、長い年月の間に侵食が進み一旦は準平原化したが、三〇〇万年ほど前に隆起して、現在の地形ができた。

一五〇〇万年から一四〇〇万年前にできた火山岩が祖母山系の山地で採取されている。地表近くの岩石の大半は、火砕流堆積物のデイサイトおよび流紋岩であるが、花崗岩が混じっている。地殻変動により地盤が上昇したあと、長い間に山の上層部が侵食されて、地下の深いところで出来た花崗岩が地上に出てきたのだ。岩石の状態が祖母山の成り立ちを物語ってくれている。

噴火活動が終ると、地下に堆積した花崗岩は地殻変動や火山活動によって貫入(かんにゅう)（マグマまたは岩石が、他の岩石または地層を貫いて入り込むこと）が始まり、化学的な変成、変質をくりかえした。各種の元素を含んだ熱水が断層や割れ目に入り込んで液が冷却すると、鉱物が結晶して、錫、銅や鉛、亜鉛などの金属鉱脈ができた。

先に述べた鉱山は、この鉱脈を掘り出したのである。

あたりを見回すと、あれほど混雑していた山頂には数人しかいない。食事を済ますと、早々に先を急いだものとみえる。

山頂の祠のそばで記念写真を撮って、私たちも下山することにした。二つある石の祠は、いずれも祖母山神社の上宮である。山頂に上宮が複数あるのは普通ではないが、これについては後の話にしよう。

五、風穴コース

帰りは、風穴を経て北口登山口へもどる風穴コースを下りることにした。「三角形の一辺は他の二辺の和よりも小さい」という三角形の定理を応用するのだ。

話はそれるが、山頂の南の崖をおりると、障子岳への縦走路だ。

この南側の崖は危険なところで、私たちが登山した翌日に事故があった。九合目付近の岩場で五二歳の男性が足を滑らせて二〇メートル下の谷に転落したのだ。

男性は午前七時三〇分ごろ、妻と友人の三人でロッククライミングの岩場を探しながら移動していた。リッジ（狭い稜）を渡って岩に取り付こうとしたときに転落したらしい。大分県警と熊本県警の防災ヘリコプターが出動して一二時ごろ救出したが、全身を強く打ち意識不明の重体のまま運ばれて病院で一時間後に死亡した。

最近は、中高年の登山が盛んである。それにともなって、中高年の遭難が増えている。祖母山系、大崩山系では、毎年のように遭難事故が起きている。

九州には、二千メートルを超える高さの山はない。しかし、低い山だから楽に登られる、低い山だからやさしいとは言えない。低くても山頂までの距離が遠い山、低いが険しい崖や痩せ尾根を渡って行かねばならない山、ロープなしでは登れないほどの急坂の山もある。如何なる山でも、侮ってかかると大怪我をする。

話を戻そう。私たちは、山頂を一三時に発って西へ向かった。

風穴コースのくだりは、岩場と滑りやすい急坂である。立木が生い茂っているので、落ちてもつかまるものがあるという安心感はあるが、一歩間違うと落下の危険性があることに変りはない。斜度六〇度ぐらいの急坂を補助ロープやハシゴ、木の幹、木の根につかまって慎重におりていった。

だいぶ下りてきたはずだと、高度計と地図を照合して位置を確認すると、思ったより短い距離しか歩いていない。しかし、標高は確実に下げている。

標高一六〇〇メートルまで下りると、左手の森が開けて、突き出した岩があるところへ出た。五、六人が立てる広さの端に大きな岩があり、その下は切り立った絶壁である。風穴コースで唯一、景色が開けたところで、「二面岩展望台」と呼ばれている。ここからは、障子岳へのびる山脈が一望できる。稜線から谷に向かって見下ろしていくと、森一面を染めた紅葉は、まるで百花繚乱の花畑のように広がっている。岩にしがみつき、怖さを忘れて山肌いっぱいの紅葉を堪能した。岩陰にはリンドウが咲いていた。

傾斜はやや緩やかになり、生い茂るスズタケの中を掻き分けながら進む。背丈以上のスズタケが道を両側から覆いかぶさったトンネルの中を方向もわからず、ひたすら歩くしかない。分岐点で道を間違うと、とんでもない方向へ行ってしまう。風穴コースには、道標がない。ササや木の枝に結ばれた赤いリボンの道案内だけが頼りだ。ふと、頭上を見上げるとブナの大木が空いっぱいに枝を茂らせている。宮崎県の山は深い。

スズタケのトンネルを抜けると急なくだり坂だ。風穴コースは巨岩がいたるところにある。ルートをふさいでいる岩には、ハシゴやロープが設置してあるので助かる。

なにしろ、急な坂道だ。山頂を目指してこのコースを登るのは体力が要るだろう。木の根をつかみ、あるいは足場にして、四足歩行で登らなければならないところもある。

下りは楽かというと、足を滑らせての捻挫、転落する危険性は高い。下っていくのは、登る以上の慎重さと体力がいる。

人生は、山歩きと同様だ。人生の下り坂を降りることは、人生の坂道を登ることより技術がいる。その技術を見出すには、歳をとってからではもう遅い。まだ若いと思っている四〇歳代は、人生の折り返し点であり、それから後は下り坂である。そのころから、少しずつ降り方を身につける必要がある。

退歩していく自分を受け入れながらも頑固一徹の意地っ張り。一皮むくと、粋で軽妙洒脱で、年甲斐もなく色気を好む。枯れた老人ではなく「老いてますます官能的」な老人であることは、思ったほど容易なことではない。

標高一四五三メートルの地点に風穴がある。高く切り立った崖の下にある壁面の割れ目が風穴である。風穴の周りは、岩に囲まれて鍋底のようになっている。

「行き止まりだ」

先頭を歩いていたヒロが岩場を下りて行き、三メートル下の鍋底から叫んだ。

二番手を歩いていたテルが、鍋底へおりる手前の岩にわずかな踏跡を見つけて、その先を確認すると岩にハシゴが架けられていた。

「大丈夫、こっちに道がある」

とヒロを安心させると、後からトシがやってきて、

「そこは、涼しいだろう。その冷気は、洞窟に棲む大蛇が吐き出す氷の息だぞう」

と怪談話の口調で脅かした。

「うわー、風穴なんかどうでもいいよ」

ヒロは、大急ぎで鍋底から這い上がってきた。彼は、ヘビが大嫌いなのである。

火山だった山には、風穴ができやすい。冷たい風が吹き出しているので、どこか別のところにもう一つ風穴があり、つながっているはずだ。この風穴の小さい割れ目から腹ばいになって入り込み、そのまま滑っていくと壁を伝って落ちてくる水が氷柱状になった部屋があるという。

雲仙・普賢岳の風穴は大きくて、かなり深いところまで、歩いていくことができた。夏でも氷が消えない。しかし、洞窟にはコウモリやゲジゲジが棲んでいて、気持ちのいいものではなかった。

北谷からの急坂をあえぎながら登ってくると、谷筋で冷気を感じるようになり、風穴が近いことが分かるという。洞窟は、龍や蛇の伝説がつきものであるが、祖母山にも大

蛇にまつわる伝説がある。

登山道は、涸沢の中へ入り込んでいる。道を間違えたかと思ったが、ルートを示す赤いテープが木の枝にたらしてある。しばらくは、大きな岩があちこちにある急傾斜の沢を歩くらしい。

沢の中で小休止。このあたりまで来ると沢には水が流れている。水をすくって額をぴちゃぴちゃと濡らした。冷たくて気持ちよい。登山口まで残り一・五キロである。

なだらかになった渓流の中を歩いて行く。シイ、カシ、ツバキなどの照葉樹が見受けられるようになり、周りの森の植生が少しずつ変わってきた。やがて、私たちが西へと下ってきた渓流は、北からの流れと合流した。色づいた木々の葉が木漏れ日の中で色とりどりに明るく光っている。

渓流の石をぴょんぴょん飛んで渡り、林の中を歩いていくと、突然、林道へ出た。そこから、五分も歩かぬうち登山口についた。帰着時間午後三時一五分、帰路の所要時間は、二時間一五分であった。

予約を受けて客待ちをしている五台のタクシーが止まっている。登山口からバスが通る幹線道路まで走れば、結構いい稼ぎになるはずだ。駐車場の車は、半分以上がいなくなっていた。風穴コースをくだってくる人の気配は、私たちの前後に感じられなかった。山頂にあれだけひしめいていた登山者はどんなルートをたどったのだろうか。

六、大蛇伝説と豊玉姫伝説

今夜の宿は熊本県阿蘇郡高森町の「休暇村南阿蘇」である。

露天温泉で汗を流していると、天に向って牙をむき出した岩がいくつもそそりたつ根子岳の異様な姿が雲の切れ目から姿を現わした。それもつかの間で、陽が落ちるとすべてが夕闇の中に沈んだ。

夕食は、好きなものを取って食べるバイキングスタイル。ビールでいい気分になり、肥後牛のステーキ、阿蘇の豆腐、山菜料理などをたっぷり食べた。

部屋に戻り、ヒロが持参してきた佐賀県小城町の清酒「高砂」で飲みなおす。宿の夜は、山の伝説を語るにふさわしい。

「祖母山の伝説を話すには、『平家物語』をざっとおさらいしてからの方がよい。源頼朝が平家打倒の旗を掲げたときから始めようか」

と、ほろ酔い気分になったテルが話し出した。

伊豆に流されていた源頼朝が一一八〇年（治承四）に挙兵した。これを知った東国の源氏の武士団は、「ときは来たり」とばかりに頼朝に従って兵を起こした。翌年、平家の頭領である平清盛が病死し、これを境に平家の勢力は衰えて行く。東国、北国での戦いは、ことごとく負け戦であった。

一一八三年（寿永二）七月に平家が都落ちした。平家がいなくなった京の都は、源頼朝に「日本国第一の大天狗」と言わしめた後白河法皇の天下であった。後白河法皇は、源氏勢が都に逗留することをうるさがり、西国へ落ちた平家を追討すべしとの院宣を下した。

三種の神器とともに安徳天皇を擁して九州へ都落ちした平家は、筑紫の国に内裏（だいり）を設ける計画を立てたが、実現は難しい。宇佐八幡宮に助勢を頼みに行ったものの、冷たくあしらわれ大宰府に戻った。

豊後国（ぶんごのくに）の国司、刑部卿三位頼資（よりすけ）は、在地で国司の代理を務めている息子の頼経（よりつね）に対し、「落ち目の平家を九州に入れるなどもってのほか。豊後国は平家に従ってはならぬ。一族が心をあわせて平家を追い払え」と伝えた。

頼経は、その旨を当地の土豪である緒方三郎維義（すえよし）に下知した。

緒方三郎維義は、平家の御家人であった。平家は、使者を立てて維義を懐柔しようとしたが、「平家は、早々に九州を去るべきだ」と、にべもなく断られる。

維義が兵を呼び集めていると知った平家は、「謀反などされると、他の者に悪影響を及ぼす。維義はけしからん奴だ」と、三千騎の軍勢で攻め立てた。しかし、逆に維義の軍勢が雲霞のごとく襲いかかり、平家軍を蹴散らした。さらに、維義が三万騎の兵を編成して、すでに大宰府へ向っているという情報を得た平家は、土砂降りの雨の中を、先を争って箱崎港（福岡市東区箱崎）へ逃げていった。一方、長門（山口県長門市）からは、源氏の軍勢が攻めてくるという。平家は、顔色を失って四国へと落ちていった。

テルの話に「べべんべんべん」とトシが琵琶の音を口真似して合いの手を入れる。横になり、ウトウトと眠り始めたヒロの背中をゆすり、耳元に口を寄せて、もう一度「べべんべんべん」と口真似の琵琶を鳴らす。

ヒロの日常生活は、午後八時就寝、午前三時起床である。いつもなら、とっくに床についている頃だ。

平家を九州から追い出した緒方三郎維義（すえよし）がいかに豪の者かを説明する説話として、

『平家物語』第八巻「緒環(おだまき)」の段で、「彼(か)の維義は、おそろしきものの末なり」と評している。続けて、「この緒方三郎は、あかがり大太(だいた)には五代の子孫なり。かかるおそろしきものの末なれば、国司の仰せを院宣と号して、九州二嶋にめぐらしぶみ（回文(まわしぶみ)）をしければ、しかるべき兵(つわもの)ども維義に随(したが)ひつく」（妖怪の子孫である緒方三郎維義が後白河法皇の命令だと言って手紙を書くと、九州各地の豪族たちは維義に従った）と記(しる)している。

あかがり大太は、大蛇と人間の女性の間に生まれた。「あかがり」はアカギレのことで、「大太」は生まれた子供の名前だ。

今では、アカギレをした子供を見ることはない。しかし、昭和二〇年代の頃は、冬になると、たいていの子供の肌はカサカサに乾き、両手はヒビ、アカギレで皮膚が割れていた。なお、「九州二嶋」とは、「九州全土」のことで、二島は壱岐、対馬である。

さて、緒方三郎維義は、その五代の子孫というのだ。もののけの子孫である維義が相手では平家に勝ち目はない。しかも、九州の武士団は、全て源氏方についたことから、平家の滅亡が近いことを暗示させている。

前置きが長くなったが、平家物語の中で語られる緒方三郎維義(すえよし)に関する説話は、祖母山にまつわる大蛇の伝説でもある。

　平家物語第八巻の「緒環（おだまき）」の段で語られる説話によると、豊後の国のひなびた山里に母と娘が住んでいた。夜な夜な、娘のもとへ男が通ってきて、月日が経つと、娘は身重になった。母は「お前のもとにかよう男は何者か」と尋ねた。娘が「帰り先は存じません」と答えると、母は「男が帰るときに、しるしを付けて、その後をたどってみよ」と教えた。

　娘は、朝帰りする男の水色の狩衣（かりぎぬ）の襟（えり）に針を刺し、針には緒環（おだまき）（長い糸を、中が空洞になるように丸く巻きつけたもの）にした糸を通しておいた。糸をたどっていくと、豊後の国と日向の国の境にそびえる姥山（うばやま）という山の岩屋へ着いた。

「あなたを訪ねてきました。出てきて逢ってください」

　と娘は岩屋の入口でいった。

「私は、人の姿ではない。会うと肝をつぶすであろう。早々に帰りなさい。あなたが身ごもった子は、九州で比類のない武勇に優れた男になるだろう」

「たとえ、どのような姿であろうとも、日頃のよしみ、夜を共にした仲、お姿を見せてください」

「それならば」と言って、岩屋の中から出てきた姿は、苦しそうにとぐろを巻いた大蛇であった。後朝（きぬぎぬ）の別れのときに男の狩衣の首筋に刺したはずの針が、大蛇の喉笛に突き刺さっている。

娘はびっくりして逃げ帰った。

ほどなくして、娘は男の子を生んだ。その子は、夏冬とおして蛇のウロコのようなアカギレができていたので、アカギレ大太（だいた）といわれていた。大蛇は、日向の国であがめられている高千穂明神のご神体であった。

人間の娘と大蛇の間に生まれたアカギレ大太の五代の子孫が緒方三郎維義というのだ。たとえ平家が十万の兵を差し向けても勝てる相手ではない。

人間離れした者の祖先や神の誕生にまつわる物語の多くに異類婚の伝説がある。人と蛇との婚姻譚（たん）は、三輪山型として分類されている異類婚説話の一例である。『平家物語』の説話のルーツは『古事記』や『風土記』までさかのぼる。

三輪山説話のもとになるものとして、『古事記』の崇神天皇の段がある。

活玉依毘賣（いくたまよりひめ）という美しい姫のところに、姿凛々しい若者が通い始め、しばらくして姫は妊娠した。男の素性を知ろうとして、母親が男の衣の裾（すそ）に、糸を通した針を刺すように娘に教え、そのとおりにした姫が糸をたどっていくと、三輪山の神社に行き着いた。若者は三輪山の神であった。姫が生んだ子が、大物主大神である。

「祖母山の大蛇伝説は以上だ。次は、祖母山の名称がつけられた由来について話そう」

「それなら、オレも知っているぞ」

と、トシが言った。また、背中をつつかれそうな気配を感じて、ヒロが薄目を開けた。

「神武天皇が東国征伐に向う途中、豊後水道で台風に遭遇した。今にも船が転覆しようとしたときに、天皇が西南のかなたの添利山（祖母山）を望み『この山は、わが祖母の神霊のおはすところなり。速やかに神の威力を発揮して、海を鎮め、皇孫の危難を救いたまえ』と祈ると、たちまちのうちに波が静かになった。神武天皇の祖母は、海神の子である豊玉姫だ。それから、添利山を祖母山というようになったのだ」

「うん、トシの言うとおりだ。今では、それが定説のようになっているが、祖母山を御神体とする豊後（大分）および日向（宮崎）の山岳信仰の実情は複雑だった。祖母山の山頂に二つの祠があったのを見ただろう。本来一つであるはずの上宮が二つもある理由が、大蛇伝説と豊玉姫伝説の中に隠されている」

とテルがトシの話を引き継ぎ、急展開させた。

日向の神社と豊後の神社は、共に祖母山をご神体としながらも、神社の祭神が異なるのである。日向の国は、祖母嶽頂上神社に祖母嶽大明神を祀り、豊後の国では、姥嶽大明神本社に姥嶽大明神（健男霜凝日子）を祀った。いずれも、祖母山の山頂を本社（上宮）として麓には下宮の神社を設けた。祖母山には、昔から二つの上宮が並び建っていたのである。山頂は、自然条件が厳しいため、上宮の社は、いずれも石の祠であった。両国がお互いに大きな祠を建てることを競い合って、日向と豊後が敵対関係にあったときには、敵国の祠を破壊して谷に突き落とした。破壊された方はまた建て替えるということを繰り返した。

両国とも、下宮はそれぞれの領国の数箇所に建てられた。下宮の数は、日向に四社、豊後に三社、肥後に一社があったと一六七四年（延宝二）の『高千穂十八村明神帳』に記されている。

いずれの国にも、あちらこちらに遥拝所が設けられていた。遥拝所とは、山頂の本社に登って参拝できない人たちが、祖母山の方角を向いて神事を行うことにより、山頂の本社に参詣したのと同様の御利益が得られるところである。

祖母山頂は、山神の住む聖地として女人禁制であった。前述の神明帳によると、本社へ行ける時季も限られ、旧暦二月下旬から四月上旬ごろ（新暦四月から五月下旬）まであった。冬の間は雪で閉ざされ、六月以降は農作業で忙しく参拝できなかったのだ。
旧暦四月最初の卯の日（新暦五月一八日頃）は、祖母山の祭りの日である。日向、豊後、肥後の神社は、同じ日に祖母山の大明神をお祭りした。

日向と豊後では、祭神が異なることを前に話したが、日向の祭神は豊玉姫命（とよたまひめのみこと）が主神である。これは、神武天皇が添利山（そふりやま）（姥嶽・祖母山）に向って海難の助けを祈った伝説がもとになっている。天孫ニニギノミコトが九州の日向の高千穂の峰に降臨し、コノハナノサクヤヒメとの間に三人の息子を生んだ。

三男のヒコホホデミノミコトは、豊玉姫と結ばれ、その間に生まれたのが神武天皇の父である。豊玉姫は神武天皇のお祖母（ばあ）さんなのだ。主神を豊玉姫命として天皇の系譜を貫いているのは、天孫降臨の神話が根底にあるからであろう。

「豊玉姫は海神の子であったから、荒海を鎮めるのはたやすかっただろうが、どうして山の神として祀られているのだろうか」

トシが意表をつく疑問を投げかけた。

「うーん」とひとしきり間を置いて、テルが答えた。

「豊玉姫は、海彦・山彦の神話に登場する山彦（彦火火出見尊）と結婚するのだから、あながち山と無関係ではない。古くから『海を豊かにするためには、山を育てよ』といわれている。魚介類などの海の幸を豊かにするためには、山の森を育てて、ミネラルたっぷりの水を海に流しこまなければならない。山の神として豊玉姫命を祀るのは、当然だろう」

一方、豊後の神社の祭神は、健男霜凝日子神である。この神は、太古より祖母山に鎮座していた大神で、龍神の類とされている。雨乞い、風害除去、霜よけなど天気祈願に霊験あらたかな神である。これは明らかに、『日本書紀』や『平家物語』の大蛇伝説がもとになっている。

大分県竹田市大字神原に健男霜凝日子神社がある。社殿は、約二百段の階段を登った岩窟の中に建てられている。この神社は姥嶽大明神本社の下宮であり、例年の祖母山の祭りはこの神社で執り行われる。すぐ近くにある穴森神社の拝殿の後ろには洞窟があり、ここに姥嶽大明神の化身である大蛇が棲んでいた。かつては、洞窟の中に水をたたえた池があったという。

健男霜凝日子神社は、尾平登山口へ行く途中の大分県緒方町上畑にもある。この神社の神木は、幹の直径が一メートルのカゴノキの大木である。カゴノキの和名は、鹿子の木という。樹木が成長して、幹が直径二〇センチほどになると樹皮がまだらに剥げ落ち、幹が鹿の子どものような斑点模様になる。約三年ごとに剥げ落ちるので、幹の模様は複雑になり、ザラザラとした蛇の肌のようにも見える。剥げ落ちた樹皮の小さな皮は、まさに蛇の鱗だ。

このように、話が出来過ぎているくらい、大分県側の神社には大蛇伝説が具体的な形を残している。後に、豊後の神社が豊玉姫命、五瀬命（いつせのみこと）（神武天皇の兄弟）を脇神として合祀しているのだが、これは、皇統系譜に連なる神でなければ祭神にならないという思想が興ったとき、それをカモフラージュするために付け加えられたのであろう。

大蛇伝説と豊玉姫伝説という二つの伝説は、祖母山という同じ山の伝説でありながら、大分県と宮崎県とでは、異なった色々な話に発展して伝わっている。なかには、「おらが国の話」として、我田引水の筋立てに脚色された話もあり、興味深い。

ヒロは、いつの間にか蒲団にもぐりこんで気持ちよさそうに寝息をたてている。

秋の夜長である。その後の緒方三郎維義のことなど、清酒「高砂」を飲み干した後もトシとテルの話は続いた。

国木田独歩が愛でた山

元越山（もとごえやま）582m　在所：大分県佐伯市米水津町

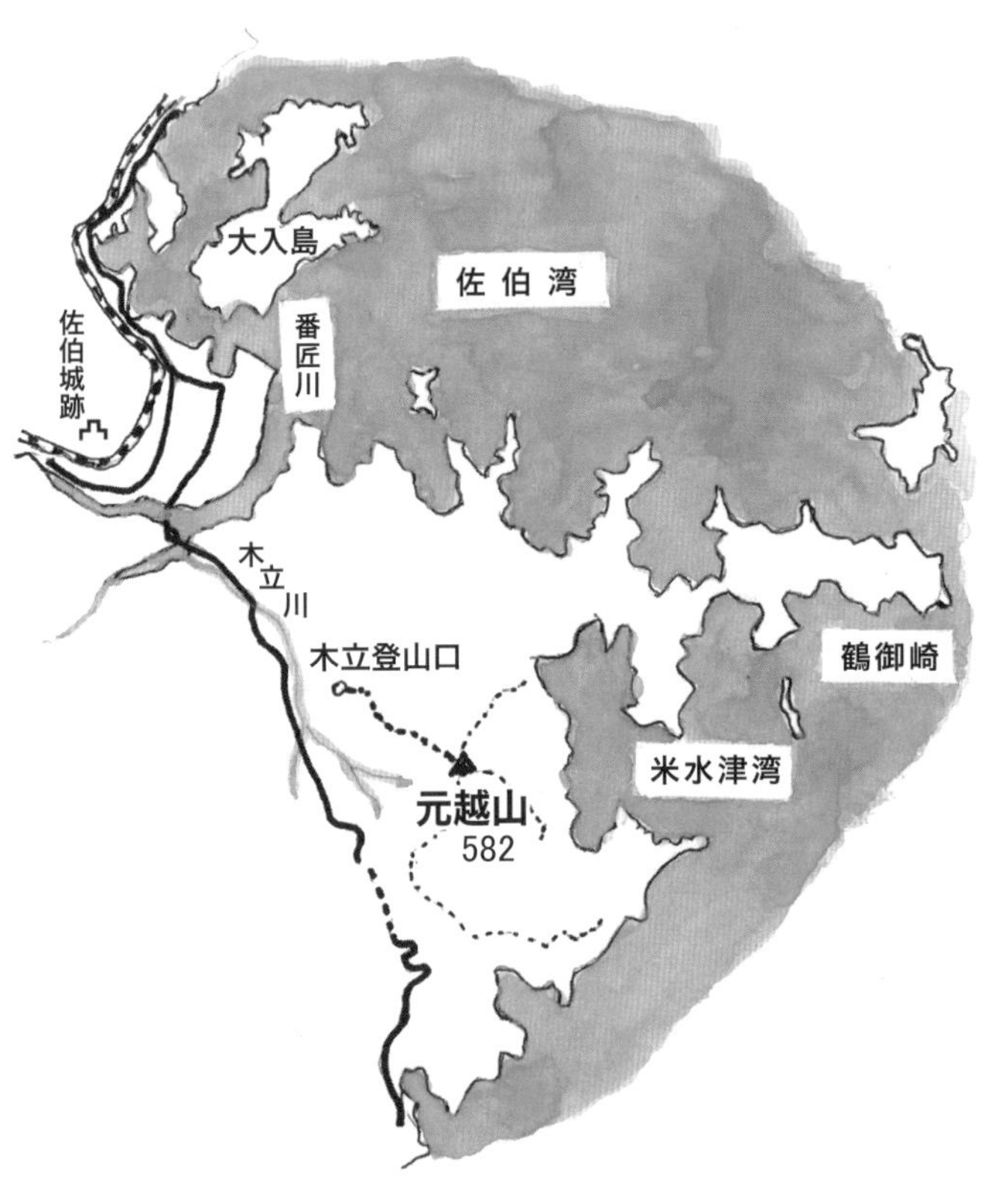

一、山と川と海は一体

八月末になると、夏の間ギラギラと照りつけていた太陽の光がやわらいでくる。山は、たくましい若さをむき出した緑から、渋みのある色に変わってきた。

今日の目的地は大分県佐伯（さいき）市の南にある元越山（もとごえやま）である。標高六〇〇メートルに満たない山であるが、山頂からの眺めがよいことで九州百名山に選ばれている。

大分自動車道を走り九州を横断した。佐伯市で高速道路を下り、佐伯市街を通り抜け、番匠川（ばんしょうがわ）を渡る。ほどなくして登山口の佐伯市米水津（よのうず）町木立へ着いた。

一二時を過ぎていたが昼食は山頂まで我慢することにして、ヒロが用意してきたバナナを食べて山頂を目指す。山頂まで三・二キロである。

登山口に祀られた道祖神に登山の無事を祈り、竹の杖を拝借した。元越山へ登るには、竹の杖がふさわしい。というのも、大分県は竹細工が盛んな土地なのである。

明治時代の文学者である国木田独歩（くにきだどっぽ）は、佐伯に一年足らずの間住んでいた。独歩は元越山（五八二m）を愛し、この山に数回登っている。彼も竹の杖を用いたに違いない。

孟宗竹（もうそうだけ）の林の中を登っていく。竹林を過ぎると雑木林になり、道の両側はシダがうっそうと茂っている。道は侵食され、背丈ほどに深くえぐられており、敵の攻撃から身を隠す塹壕（ざんごう）の中を歩いているようだ。シダの茂みが頭上からのしかかるように覆いかぶさってくる。足元の粘土質の岩はコケが生えて滑りやすい。雨水による侵食が進みV字形に切れ込んだ所もあり、歩きにくい。

粘土質の泥岩（でいがん）は海底や湖沼の底で堆積した泥や粘土が固まってできた岩石である。太古の時代の国東（くにさき）半島南部は地殻変動が激しかった所で、地盤の隆起、沈降を繰り返してリアス式海岸ができあがった。

地盤沈下や海面が上昇して、陸地の谷や河川が沈水し、いわゆる溺（おぼ）れ谷ができた。陸地の奥まで海になって、海岸線の凹凸が激しいリアス式海岸を形づくった。大分県のリアス式海岸は、豊後水道を生じさせたときの地殻変動によって出来たものである。

佐伯市一帯に突き出た半島のほとんどが標高三、四百メートル以下であるが、内陸部は七百メートルほどの山地が広がる隆起準平原である。元越山は、地殻変動により隆起した山であろう。

一本調子の道を五〇分かけて登り、下ノ地蔵と呼ばれている地蔵が祀られている所に着いた。山頂までの中間点である。

杉の植林の中を進むと、山腹を横切る作業道路に出くわした。道の途中が大きく崩壊して、人がやっと通れるほどの道幅しか残っていない。崩れ落ちた土砂が杉の植林をなぎ倒している。谷を覗き込むと、六〇度以上と思われる急な斜面である。これだけの急斜面に植林すると手入れも大変だ。しかも、どうやって切り出すのであろうか。

二〇分ほど登ると、中ノ地蔵が祀ってある。そこから、さらに進むと前方に頂上が見えてきた。距離は、あと六百メートル。いったん鞍部へ下った後、雑木林を登り詰めると頂上である。「やれやれ、やっと飯にありつける」と、時計を見ると午後二時であった。

樹木が切り取られた山頂からは、三六〇度の大パノラマを見ることができる。天気がよければ、遠く由布岳、九重連山、阿蘇高岳、祖母山、傾山などが半円を描くように見えるというが、あいにくの曇り空で山地はかすんでいる。

眼下の米水津(よのうず)港の海の青さが目にしみる。細い半島が突き出し、突端の鶴御崎まで帯のように伸びている。

突然、演歌の好きなトシが「照らせ男の、この晴れ舞台／ありがとう水の子の燈台(あかり)／豊後鶴御崎、男の港」と歌いだした。鳥羽一郎の歌「男の港」がヒットして、この半島は一躍有名になった。沖に広がる豊後水道はアジやサバの豊富な漁場である。

佐伯湾には、国木田独歩の短編小説『源おじ』の舞台となった大入島が浮かんでいる。

佐伯市は、鳥の両翼のような二つの半島に抱かれ、佐伯湾の奥深い所にたたずむ城下町である。佐伯港は両翼の半島が豊後水道の急な潮の流れを和らげてくれる天然の良港だ。ここ数年人口は毎年約千人減少し、二〇一九年（平成三一）の人口七万一千人。四九％が六五歳以上の老人である。町は、番匠川、堅田川、木立川が流れ込む河口にできた沖積平野の洲の上に広がっている。

城下町として開かれたのは一六〇一年（慶長六）である。徳川幕府の成立とほぼ同じ頃、日田から入府した毛利高政が豊後佐伯藩二万石の根拠地と定めた。

かつて、「佐伯の殿様、浦でもつ」といわれた。毛利高政は、「山しげらず候へば、いわし寄り申さず候」という御触書を出し、むやみな山林の伐採を戒めた。山林の樹木の陰に魚が寄ってくることを知っていて、それを藩の行政に生かした高政は、名君だったといえる。

山が豊かな漁場をつくるということは、昔から言われてきたことだが、明治時代中期にかけて、南海部郡米水津村、北海部郡臼杵町（臼杵市）、高崎山・別府沿岸、速見郡日出町などでは、道路整備や湾岸開発のために海岸の丘陵や湾内の小島に茂っている木々をむやみに伐採した。その結果、魚道（魚類が回遊するコース）が変化して、漁獲高が大幅に減少した。大分県のイワシ漁獲高は、一九〇〇年（明治三三）頃の七五〇〇トンをピークとして以後は四分の一に激減し、例年一八〇〇トンほどに落ち込んだ。

沿岸の森林環境を破壊したことが漁獲量を減少させたことは間違いないだろう。森林が魚付林の役目をしていたのである。魚付林とは、魚類を海岸近くへ引き寄せ、魚の生息・繁殖を促進させる目的で仕立てる森林をいう。

こうした状況に直面して、行政は沿岸の森林を魚付き保安林として保全し、陸地の環境を海洋資源の保護政策の一環に組み入れていくようになった。

森が元気になると漁場も豊かになるのは何故だろう。

推測されるのは、①山の土がそのまま川に流れ込んでしまうのを森が防ぐことによって、大量の土砂が一度に運ばれてくることが少なくなり、海底での動植物が生活しやすくなる。②ミネラルの豊富な水が湾内に流れ込んで、プランクトンの生育が活発になる。③森林の陰影が魚の棲みやすい環境をつくる、などが挙げられる。

森と漁場の因果関係を科学的に証明するのは、非常に難しい。自然は生き物であり、特定の条件を取り出して実験することができないからである。しかし、確実にいえることは、森が元気になると漁場も豊かになるという事実である。

二、独歩と元越山

弁当を食べ空腹を満たしてホッとしたところで、元越山に所縁（ゆかり）の深い明治時代の文学者、国木田独歩を話題にした。

「国木田独歩は、佐伯市の出身なのか」

トシが漠然とした疑問を投げかけた。

それもそのはずで、国木田独歩は、かれこれ一四〇年も前の人である。それなのに、佐伯の人々が、彼をわが町の人物かのごとく親しげに語ると、独歩は佐伯市生まれの人だと勘違いするであろう。

「独歩は、明治四年（一八七一）に千葉県銚子で生まれた。『武蔵野』が代表作だ」

サクがコーヒーを点（た）てながら言った。

「独歩が佐伯に来たのは、確か、明治二六年（一八九三）九月末だ。徳富蘇峰の紹介で、佐伯の鶴谷（つるや）学館の英語と数学の教師として招かれた。独歩は二二歳であったが、給料は教頭クラスという破格の待遇だったらしい。佐伯に居たのはほんの十カ月にすぎなかったが、佐伯周辺の山野を跋渉（ばっしょう）し、小説家として世に出る決心をした。その意味では、小説家国木田独歩は、佐伯生れと言っていい」

と言って、サクはコーヒーをみんなに注ぎ分けた。詩人だけに、文学に詳しい。

「ところで、独歩は、どのような交通手段で佐伯へやって来たと思うかい？」

というサクの問いかけに、

「自動車はまだ走っていなかったはずだから、汽車に乗って来たのだろう」

とヒロは当然だという顔で答える。

「当時はまだ佐伯まで鉄道が来ていなかった。自動車が普及するのはそれよりずっと後のことだ。独歩は、大阪からは、船を乗り継いで佐伯へ着いている。山口県柳井市の実家に三日間逗留したことを差し引くと、東京から七日、大阪からは四日の旅であった。日豊本線の鉄道が小倉から佐伯まで開通したのは、大正五年（一九一六）だ。それまでは、汽船が主な交通機関だった」

「独歩が元越山に登ったときも、登山口までは舟で行ったのかい？」

「そのとおり。櫓漕ぎの渡し舟があって、番匠川を舟で渡っている。さらに、木立川を川舟でさかのぼり、木立村へ上陸した。佐伯から木立村まで四キロほどだ、と独歩が『欺かざるの記』に書いているから、登山口のすぐ近くまで舟に乗って来た。そのときの乗船客は九人。櫓漕ぎの舟がこのあたりの重要な交通機関だった」

とサクはコーヒーをすすり、じっと大入島を見つめた。たぶん、その島を舞台とした小説『源おじ』のストーリーを思い浮かべているのであろう。

独歩が登ったころの元越山は「十二段」と称されていた。山腹には米水津湾から木立村へ通ずる生活道路があった。この道を行き来して海産物と米、麦、ソバとの交換交易が行われたのである。

裏代峠と呼ばれた峠には茶屋があった。独歩が茶屋の婦人に十二段山頂への道を尋ねると、道はないと言う。猟師以外に山頂へ登る者はいなかったのだろう。猪や鹿の足跡に驚き、荊の中を藪こぎして、やっと踏み分け道をみつけて山頂へ辿り着いている。

独歩は、山頂の一等三角点に座って、「大いなる自然に対する毎に自然は吾に近く在り、吾は自然に打たるる也。自然の大を見る毎に人生の不可思議、霊妙を感ず。（中略）生死の窮まりなき海は眼下に横たわるを見よ」と、山頂からの絶景に感激している。

「独歩が処女小説『源おじ』を発表した明治三〇年（一八九七）には、尾崎紅葉が『金色夜叉』、島崎藤村が『若菜集』を発表している。樋口一葉が『たけくらべ』を発表したのはその二年前のことで、明治三〇年ごろは、まさに明治文学の黎明期だ。独歩は口語体小説の先駆者だったのだ。その後、明治三八年（一九〇五）に夏目漱石が『我輩は猫である』を発表し、その翌年に『坊ちゃん』や『草枕』を発表した。この頃に日本文学の口語体が確立したと言える。独歩が『源おじ』を発表してからの約十年後のことだ」

とサクは、話題を方向転換した。

独歩が佐伯に滞在中の体験や、土地の者から聞いた話を膨らませて書いた『春の鳥』と『源おじ』は、いずれも佐伯を舞台にした短編小説である。独歩は、知的障害者、渡し守、乞食、漁夫などを小説の主役として、人間の愛と苦悩、人間の運命の不可思議を追求している。平凡な人生や豊かな自然を従来の日本文学にない新しい美意識で詩情豊かに描いた小説は、当時の小説のスタイルを打ち破る斬新なもので、『春の鳥』は、明治浪漫主義の頂点に位置する傑作として独歩の名声を高めた。

しかし、国木田独歩を語るには、『武蔵野』を外すことはできない。独歩といえば『武蔵野』といわれるほどに愛読され、『武蔵野』により独歩は自然主義小説家としての基礎をつくった。

当時の人々の美意識では、樹木の美しい風景といえば、緑の松林や満開の桜が中心であった。コナラ、ミズナラなどのドングリが実る雑木林を美しいと感じる人はいなかった。そんな時代に、独歩は『武蔵野』の中で季節ごとの落葉樹林の美しさを描写した。誰も美の対象として見ることのない、生活に密着した野原の情景を活写した。

空模様、雲の動きによって光が変化し、雑木林が怪しい影を作り、野や畑が輝く武蔵野の様子が臨場感をもって伝わってくる。なかでも、音響効果はすばらしい。自然や土地で生活する人たちの様子を聴覚でとらえて、音響を文字に置き換えることにより、音の遠近感で風景の奥行きを表現している。

独歩が脚光を浴びたのは、『武蔵野』などを収録した『独歩集』を一九〇五年（明治三八）に出版し、自然主義の作家として文壇に受け入れられてからである。しかし、それからほどなくして、独歩は結核を病み、一九〇八年（明治四一）に三六歳の若さで早世した。

三、武蔵野台地の変遷

「さて、『武蔵野』を読むにあたり、山に登る者としては、文学的見方を離れて、変わり行く日本の山林の有様について考えてみる必要がある」

とテルが自分の得意とする分野へ話を引き込んだ。

独歩は、一八九六年（明治二九）の秋から翌年の春まで、渋谷村道玄坂（現在の渋谷駅付近）の小さな茅葺屋根の家に住んでいた。明治時代の渋谷には、まだ武蔵野が残っていた。

独歩の『武蔵野』は、その頃の生活を基にした随筆である。

独歩は、よく近郊を散歩した。早朝の霧が晴れないうちに家を出て、足に任せて野や林を散策した。天気の良い日の夕暮れに、風が吹く野に立てば、遠くの富士山が間近に見える。林の向こうに横たわる秩父の連山は、地平線から首をもたげているように見える。渋谷、新宿、目黒あたりは郊外であり、すぐ隣に武蔵野の林や畑が広がっていたのである。

独歩は明治時代の武蔵野を次のように表現している。

「武蔵野には決して禿山はない。しかし、大洋のうねりのように高低起伏している。それも外見には一面の平原のようで、むしろ高台の所々が低く窪んで小さな谷をなしているといった方が適当であろう。

この谷の底は、たいがい水田である。畑はおもに高台にある。高台は林と畑とで様々の区画をなしている。畑は即ち野である。されば、林とて数里にわたるものなく、否、おそらく一里にわたるものもありますまい。畑とても一望数里につづくものはなく、一座の林の周囲は畑、一頃（約一ヘクタール・約三千坪）の畑の三方は林、というような具合で農家がその間に散在して、さらにこれらを分割している。すなわち、野やら林やら、ただ乱雑に入り組んでいて、たちまち林に入ると思えば、たちまち野に出るという様な風である。」

東京には坂が多い。その一つひとつに名前がついて、道玄坂、代官山坂、富士見坂、暗闇坂、鰻坂、団子坂などおびただしい数である。東京に坂が多いのは、徳川家康が江戸（東京）に幕府を開いて以来、「大洋のうねりのように高低起伏している」武蔵野に都市を築いたからである。

明治時代の武蔵野は林や畑、原野が不規則に広がっている丘陵地帯であった。区画整理された畑や道はなく、そこで農業を営む者が都合の良いようにできたものであろう。

文政年間にできた地図に「武蔵野の俤は今わずかに入間郡に残れり」と書き込みがされていたのを見たことがある、と独歩は『武蔵野』の冒頭に書いている。

その地図の書き込みには、小手指原および久米川の地で、元弘三年に源平が激しく争ったとある。

横道にそれるが、地図に書き込まれたメモについての史実を追ってみる。

上野国新田荘（群馬県新田郡）一帯を在所とする新田義貞は、出雲国（島根県）の隠岐島に流されていた後醍醐天皇の呼びかけに応じて、鎌倉幕府に反旗をひるがえした。

そのころ、執権政治により鎌倉幕府の実権を握っていた北条氏に出来高の六割の年貢米を要求されるなど、新田氏は北条氏の圧政に苦しんでいた。北条氏の新田氏への無理強いは、伊豆地方の豪族出身にすぎなかった北条氏が桓武平家の血筋と名乗っていたのに対し、新田氏は源氏の正統の家柄であったことも無関係ではなかろう。

一三三三年（弘安三）五月八日に兵を挙げた新田義貞は、後醍醐天皇の綸旨を受けたとはいえ、勝ち目の薄い戦いと覚悟のうえで出陣した。

義貞は、上野国府を襲撃し長崎孫四郎左衛門を敗走させた後、鎌倉街道を南下した。これに対し、幕府軍は桜田貞国を大将とする軍勢を差し向け、両軍は、五月一一日に小手指原で激突した。決着がつかず、新田軍は入間川へ、幕府軍は久米川へ退き軍陣を立て直した。義貞のもとに源氏一党の援軍が加わり、翌日再び激突。小手指原から久米川へ主戦場を移し、ついに幕府軍を撃破した。

日を追って援軍が加わり、兵力を増した新田軍は、逃げる幕府軍を追うようにして鎌倉へ攻め込んだ。執権北条高時らは自害し、鎌倉幕府は滅亡した。

現在の小手指原古戦場（埼玉県所沢市）は、茶畑や農地が残っているが、久米川古戦場（東京都東村山市）は、ほとんど宅地化されている。

ともあれ、鎌倉時代・南北朝時代の武蔵野は、ススキが原であった。

太古の関東台地は、シラカシやスダジイなどの照葉樹林が生い茂り、うっそうとした暗い森であった。この台地へ進出してきた人々が森に火を放ち、森を草原に変えていったのである。

江戸時代の初期までの武蔵野台地では、農民が台地のススキが原を焼き払い、灰を肥料として作物を植えつける焼畑農業を繰り返していた。

森林や原野を野焼きして、焼けた草木の灰を即効性の肥料として畑にすると豊かな実りが得られる。雑穀や豆類、野菜を植え、数年間作付けして、肥料分がなくなった後は耕作地を原野へ戻す。このように、焼畑と林野を交互に繰り返す農業を切替畑（きりかえはた）という。

恒常的に商品作物を生産する普通畑（常畑）になる前は、自給的な畑作が主であり、切替畑が一般的であった。

江戸城下が繁栄し、人口が増加するとともに、農村の耕作形態、作付け方法も変化した。城下周辺の村では、薪炭（しんたん）や建設用材として商品化できる木を植林した。農産物が販売できる地域は恒常的に作物を栽培する普通畑とした。畑を守る防風林を造り、コナラやクヌギの雑木林を造成して落葉を肥料とするほか、家屋の屋根材、薪（たきぎ）や炭を供給する林とした。

明治時代の国木田独歩が見た武蔵野は、畑を風から守る防風林の風景であり、落葉がもたらす農作物の肥料、薪や炭などの燃料を生み出す生産場所としての雑木林の風景である。

一九六〇年（昭和三五）頃までは、武蔵野にも多くの雑木林が残っていた。それは、落葉樹の明るい森で、ところどころに赤松が混じる、よく手入れされた平地の森であった。

そのころまでの農業は、森や林と一体化していた。林の落葉が堆肥にされ、畑がやせると林に戻し、森と農地の循環、交換が行われていた。山間部で行われていた焼畑（やきはた）農業はその代表的な耕作方法である。林の近くの採草地は耕作用の牛馬の餌場であった。深い森からは、ミネラルたっぷりの水が湧き出て稲の生育を助ける。

科学肥料に頼りきった現在の農業は、自然と共存しながら農業を営むという側面を失ってしまった。それが、里山が荒廃している原因の一つである。

薪炭材や採草地、山菜取りの場所として、生活に必要な森として里山をつくることが、さらに奥地の森林を育てることへつながる。しかし、森づくりの思想は、里山の荒廃により、入り口で挫折してしまっている。

曇り空でも、山の紫外線は強い。着替えたランニングシャツ一枚で話に熱中して、太陽の光をまともに受けた肌は真っ赤になった。

午後三時に下山。山頂近くのクリの木には淡い緑色をした実が、たわわに実っている。「秋がそこまで来ている」と眺めた後は、脱兎のごとく駆けくだった。

登山口の道祖神に登山の無事を感謝して、竹の杖を返却した。

畑仕事を終わって木陰で休んでいた近所のお婆さん三人が近寄ってきて、「お兄さん方と思ったら、おじさん達じゃないですか。まあ、いいでしょ。採りたてのニラを持っていきなさい」と、一抱えほどのニラを新聞紙にくるみ、サクに差し出した。

サクは、受け取るのを躊躇（ちゅうちょ）していたが、親切を無にすることもできない。礼を言って受け取った後、「ニラをもらった」と曖昧（あいまい）な笑いを浮かべ、ニラを抱えて車に乗り込んできた。ニラはうまいが、強烈な臭いには閉口だ。

佐伯市の人たちは親切である。登山口に車を止める場所を探していると、畑仕事をしていた老人が、「私の家の前に止めなさい。車は出入りしないから、門の入り口はふさいでもかまわない」という。

佐伯市の直前で、近道をしようとして枝道に迷い込んだ。雑貨屋の主人に道を尋ねると「ここらに迷い込む人が多いんだ」と、略地図を書いて道順を教えてくれた。

元越山の頂上には、展望できる景色を大きな御影石の四面に彫りこみ、ドーンと据付けてあった。これも、佐伯人の親切心の現れであろう。

今夜の宿は宮崎県延岡市である。日豊本線とほぼ平行して走っている国道一〇号線は、山の中を蛇のようにうねりながら奥へ奥へと伸びている。宗太郎峠は駅伝ランナーにとって難所の坂だ。峠を越えると宮崎県である。

民宿ほどの小さな旅館へ着いたのは日没直前であった。

佐伯市のおばあさんにもらったニラは宿の人にあげた。

「あらー、みずみずしいねえ」と喜んでもらえた。

「遠くからようお出でなさった」と、宿の主人がビールを差し入れてくれた。ひょっとすると、ニラがビールに化けたのかもしれない。

行縢山(むかばきやま)のうちわ男

行縢山（むかばきやま）830m　在所：宮崎県延岡市行縢町

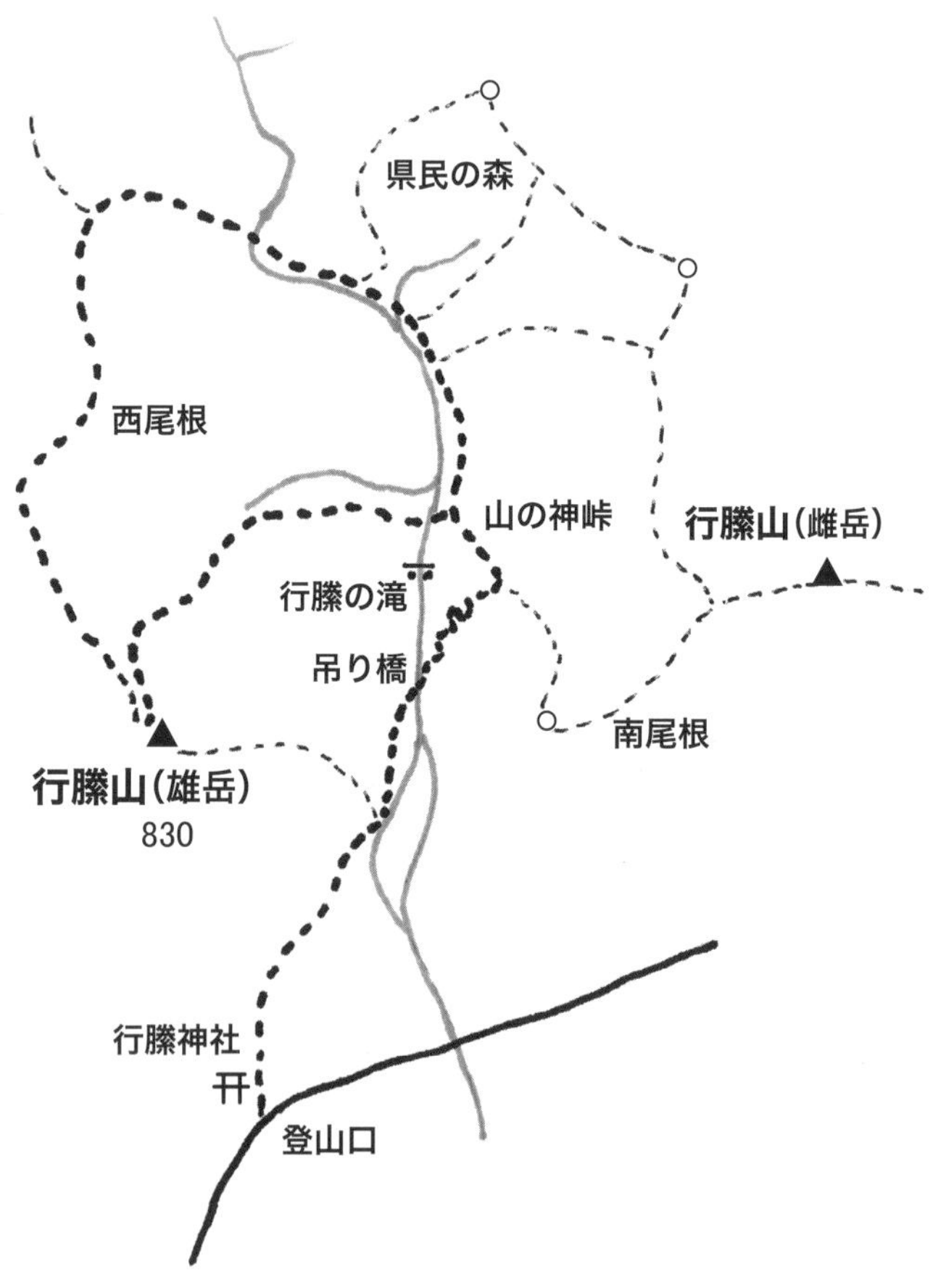

国木田独歩が愛した大分県佐伯市の元越山へ登った後、三太郎峠を越えて宮崎県へ入り、延岡市に一泊した。

現在の延岡市は、化学、繊維のほかいろいろな分野を手掛ける旭化成（株）の「城下町」である。二〇一九年（令和一）には、旭化成で長年リチウムイオン電池の研究をつづけた吉野彰（あきら）さんがノーベル化学賞を受賞した。

その延岡市の歴史をたどると、長崎県と意外なつながりのある町なのである。

話は江戸時代初期に遡（さかのぼ）るが、一六一四年（慶長一九）にキリシタン大名有馬晴信の嫡男有馬直純（なおずみ）が島原藩（日野江藩）から延岡藩に入府した。その後、三代にわたり一六九一年（元禄四）まで延岡藩を治めている。

有馬晴信は、長崎県島原半島一帯を勢力範囲とする戦国時代のキリシタン大名である。

晴信は、一五八二年（天正一〇）にキリシタン大名の大友宗麟、大村純忠と共に、四人の少年使節をローマ法王へ派遣した（天正遣欧少年使節）。関ヶ原の戦いでは東軍に属し、領土を安堵されている。当時の有馬氏の根拠地は日野江城（長崎県南島原市）であり、島原の乱で有名な原城は支城であった。（島原藩の居城が島原城となるのは、一六一六年からである。）

江戸幕府の下に日野江藩主（後の島原藩）となった晴信は、岡本大八事件という詐欺事件にまきこまれて切腹を命じられた。嫡男有馬直純は、一四歳の時から親元を離れ徳川家康の側近として仕えていたのだが、それが幸いして、有馬氏は取り潰されることとなく有馬直純が日野江藩主となった。

有馬直純は、洗礼名をミゲルと称するキリシタンであったが、徳川幕府のキリシタン禁止令に従い改宗した。しかし、キリシタンを取締り、彼らに死罪を言い渡すことの呵責（かしゃく）に悩み、幕府に転封（てんぽう）（国替）を申し出て、延岡藩へ五万三千石で入府した。

直純の嫡男康純（よしずみ）が二代目の藩主となり在任三八年の間に延岡城を改修し、城下町を整備して、現在の城下町延岡市の原型が出来上がった。

三代目藩主清純（きよずみ）（永純）のときに、郡代の圧政に不満を持った百姓一揆がおこり、その事態収拾の責任を取って、清純は一六九一年（元禄四）、越後国糸魚川藩に移封（いほう）された。かつて、島原半島を根拠地としていた有馬氏が、七七年間にわたって延岡を治めたのである。

朝八時に延岡市の宿を出発した。空はどんよりとして、雨模様の天気である。

本日登る山は、延岡市内から車で三〇分ほどの距離にある行縢山（八三〇ｍ）である。遠目には、でこぼこした大地が盛り上がっている程度に見える行縢山は、近づくにつれて迫力を増してくる。全体が硬質の花崗斑岩からなる雄岳、雌岳の二峰は、絶壁をなしてそびえ立ち、その尾根の中間からは落差七七メートルの滝が落ちている。

行縢山とその絶壁を流れ落ちる大滝は、山のふもとにある行縢神社のご神体である。昭和初期までは、修験者が修行していたらしい。古代の祭祀の跡や岩屋も残っている。滝の呼称は「行縢の滝」が一般的であるが、矢筈の滝、布引の滝とも称されている。滝は、龍神信仰と結びつき、雨乞いの行事が行われていた。

行縢神社は、七一八年（養老二）に紀州の熊野権現を勧請して建てられた。伊邪那祇命、日本武尊を始め二二柱を合祀している。

行縢神社の記述によると、鎮西八郎為朝が九州平定のおりに、行縢神社に参篭し、武運長久を祈願して、社領三百貫を寄進したという。この時、為朝は一五歳の少年であった。

鎮西八郎為朝（源為朝）の年譜を簡単に記す。

為朝は、一一三九年（保延五）に源為義の八男として生まれた。武士団が台頭してきて、時代を動かす実力を着実につけて来た頃である。幼いころから粗暴であったらしく、為朝の暴行があまりにも激しかったため、一三歳（一一五二年）のとき、父為義によって九州へ追放された。

ところが、九州へ来た為朝は、一五歳（一一五四年）にして、阿蘇の豪族たちの援助を受けて九州を制圧してしまう。そして自らを九州の王と称した。このことが朝廷に聞こえ、父為義は役目を解任されている。少年にして九州の覇者となることが、すでに伝説めいている。朝廷は、九州の鎮守府であった大宰府に対して、為朝に味方する者を鎮圧せよと命じたほどであった。

朝廷から都へ呼び返された為朝は、保元の乱（一一五六年）に関与し、伊豆大島に流された。その後は、琉球へ渡ったとか、数々の伝説がある。

鎮西八郎為朝ゆかりの行縢神社に登山の無事を祈願した。

神社が行縢山への登山口である。照葉樹林のなかを歩いていると、小雨が降り出した。森の中は大きな樹木が傘になり、雨具を着るほどではない。

谷川を渡って、しばらく行くと滝見橋という立派な橋が架かっている。正面に雌岳の岩壁が威圧するように目の前にそそり立つ。橋の上から川の上流を見ると、天から滝の水が落ちている。人を拒むように直立した岩壁を左にたどると、荒い岩肌をむき出しにした雄岳の山頂が見える。行縢山の景観を楽しむだけならば、ここまで登るだけで十分満足できるほどの絶景である。

「むかばき山」は、「行縢山」と書く。難しい字である。そもそも、「むかばき」とは何か。どうして、そのような名前がついたのか。

山のいわれを書いた本や資料を読むと、「山の遠景が、行縢（むかばき）に似ていることから行縢山というようになった」と説明してある。しかし、行縢というものが、どんなものか知る人が少ないので、各人が山の景観を勝手に解釈して、わかったような気になっている。

ふたたび道草して、行縢山のいわれについて考えてみよう。

「むかばき」は、騎馬で狩りをするとき、腰から、脚の前面を覆う毛皮である。真中に大きく切れ目を入れた毛皮の前掛けをイメージしてもらえばよい。前掛けを腰に巻いて二つに切り込んだ部分を太ももに紐で結わえて、脚の前面を保護するように着用する。素材は、熊、鹿、猪などの毛皮である。弓を射て狩猟するときの騎馬武者の装束であるが、現在は流鏑馬（やぶさめ）の衣装として見ることができる。

行縢をつけて弓を射る武者
「男衾三郎絵巻」より模写

狩をするときの武者は、水干（すいかん）や直垂（ひたたれ）を着用した。水干は、ふんわりした絹の衣装で、五条の橋の上で弁慶と戦った牛若丸が着ていた着物である。

もともとは木綿で出来た庶民の着物であったが、絹地の水干は公家の乗馬や遊び着になり、元服前の少年の晴れ着になり、下級の公家が勤務するときの制服になった。平安末期から鎌倉時代には、武家が礼服に用いて、華やかな模様と色合いの衣装が登場した。動きやすい着物であるから、狩りの衣装となったのは当然の成り行きであろう。

行縢は、馬で山野を駆け巡って狩猟をする際に、木の枝や、イバラ、カヤなどで水干が破けるのを防ぐために腰から下を覆う目的で着けたものだと思う。

そんな名前の由来がある行縢山であるが、遠くから見ると、山の姿が狩装束の「むかばき」に似ているとは思えない。納得がいかないまま登ってきた。しかし、滝見橋から行縢山を見たとき、「これだ、これぞ行縢！」と思い当った。

茶色や灰色の地色に白い斑点が点在する岩壁はまさに獣の毛皮のようであり、その毛皮のような岩壁が雄岳、雌岳の峰となって直立に突き立っている。岩だらけの山は、両足に行縢をつけた姿に見える。行縢山の名前は、この谷から見た山の景色を形容してつけた名前に違いないと思った。大いに納得して、滝見橋を渡る。

落石注意の標識がある雌岳の岩壁の付け根を登ると、滝の展望所への分岐点がある。滝のすごさは、先ほど満喫したので展望所はパスして、大きくジグザグを描いた坂道を登っていく。

一息ついて、水を飲んでいると、ひとりの男がやってきた。休んでいる私たちに向かって
「雨になったけど、大丈夫よ」

と宮崎弁のイントネーションで言って、団扇（うちわ）で顔をパタパタと扇ぎながら空を見上げ

る。荷物は、手にした団扇と腰に下げた水筒だけである。

「土地の方ですか」

「そう、延岡市。この山には、月に三回は登るから、年に三〇回以上登っちょる。以前は、女房と一緒に登っちょったが、孫が生まれてねぇ、女房は孫に取られてしもうた。ハッハッハ」

と笑って、訊きもしないことまでしゃべる。テルは、その男にこっそり「団扇男」というあだ名をつけた。

私たちは、話好きの団扇男と一緒に歩きだした。

急坂を登ると、雌岳への分岐点が見えてきた。丸太の階段を登ると「山の神峠」に着く。峠には山の神が祀られていて、木製のベンチもある。

「そこの花きれいでしょ。ヒメユリと言うんよ。昔は、いっぱい咲いちょったが、近ごろはすくのうなった」

と団扇で指さす。

団扇男の指し示す草むらを見ると、赤味の強い橙色をしたユリが一輪咲いている。赤くても、オニユリのような毒々しさはない。花も小ぶりで姫百合という名にふさわしい。

するとトシが意外なことを口にした。

「太平洋戦争末期の沖縄戦で犠牲となった『ひめゆり学徒隊』は、このヒメユリのことではない。そもそも、沖縄にヒメユリは生えていない。沖縄で咲くユリは、テッポウユリという、長崎県にもよく見られる白い花のユリだ。ひめゆり学徒隊の『ひめゆり』は、看護要員として動員された高等女学校と女子師範学校の広報誌『乙姫』と『白百合』から採って『ひめゆり』と称したのだそうだ」

「それは知らなかった。お礼にいいところへ案内しましょう。そこは、あまり知られておらんとよ」

と、団扇男は登山道を離れて林の中に分け入った。

男の後について、祠の後ろの岩をすり抜けるように回り込み、下草を掻き分けて林が切れるところまで進んだ。すると、二つの峰の稜線へ出て、一気に視界が開けた。目がくらみそうな崖である。

岩壁の真下には、先ほど渡った滝見橋がマッチ棒を二本並べたように小さく見える。空中に引き込まれそうになり、思わず立ち木につかまった。そのままの恰好で、雄岳と雌岳の間のV字形に落ちた谷底をのぞき込んだ。手には脂汗がにじんでいる。山が好きなくせに、テルは高所恐怖症なのだ。それも、年をとるごとにひどくなっている。動悸が落ち着くと、幾重にも広がっていく山々を眺める余裕ができた。

登山路へ戻り、しばらく歩くと見事な杉林になった。峠からひとまず沢へ下って、渓流を渡る。そこから一直線に登って行くと、最後の水場がある。わずかに流れている水を手ですくって飲むと、まろやかで甘い。団扇男は水筒を流れに浸して水を入れた。この水場も、先ほど渡った渓流も、滝へ合流して行縢の滝となって落ちていくのだ。

雨があがり、雲の切れ目からはわずかに青空がのぞいてきた。蒸し暑く、昨日の疲れが出てきて、全員の足取りが重い。

「あと三〇分ぐらいかな。頂上で待っちょるよ」

団扇男は、先に登りだした。童顔で頭も白髪がないので、若いと思っていたが、六五歳だという。

元気な男の後から、ゆっくりと登っていった。

杉林が雑木に変わり、一一時に雄岳の山頂に着いた。寄り道をした上に、ゆっくりしたペースで歩いたので、所要時間はコースタイムを三〇分オーバーした。

岩場の天辺は、広場になっている。下から見上げた絶壁の上に立っているかと思うと、高所恐怖症のテルは、足がすくみそうになる。

「ここまで来ても大丈夫だよ」

と、トシとサクが岩場の突端へ誘う。

テルは「オジー」と叫んで、絶対安全地帯に座り込んだ。

「オジー」とは、団扇男に教わったばかりの「怖い」という宮崎弁である。

「さっきまで、もう少し見えていたのだがねえ」

団扇男は、一段高い岩場に腰を下ろしていた。

団扇を軍配のようにして、方向を指し示しながら四方の景色を説明する。

雲が切れると、日向灘が見えてきた。

直下の森が平野と低い山々に連なり、延岡市から南へ伸びる海岸と青く広がる海との対比は、航空写真のようにくっきりとしている。

北側には、大崩山、傾山、祖母山などの九州の脊梁の山々がある。

「以前は、北側の景色もよう見えちょったんじゃけど、松の木が大きゅうなって見えんようになった。松を切るわけにはいかんじゃろう」

と男は、相変わらず団扇をパタパタと動かしている。

食事の場所を探していると、団扇男は、いつの間にかいなくなった。男の持ち物は水筒ひとつだった。食事は下山してから摂るつもりだろう。

岩場の一角に陣取り、食事をしていると、一〇人ほどの団体がやってきて、山頂は急ににぎやかになった。

その中に日本アルプスの山に詳しい人がいて、ヒロはその男と熱心に話し込んでいる。ヒロは、若いころいくつもの日本アルプスの山に登った経験がある。懐かしい思い出が一気に噴き出したに違いない。

めぐってきた夏の日に、ヒロとテルは北アルプスの白馬岳（二九三二m）へ登った。

一日目は、猿倉登山口を出発し、靴にはアイゼンをつけて大雪渓を登る。さらに小雪渓をトラバース（斜面を斜めに横切る）すると、高山植物が咲き乱れたお花畑に着く。一日中ガスと雨模様の天候だったが、シナノキンバイ、ミヤマキンポウゲ、ハクサンイチゲなど九州の山では見ることができない花が、頑張ったご褒美のように出迎えてくれた。

稜線へ出ると、強い風が容赦なくガスを吹きつける。真っ白な強風に対抗し、前かがみになって足を踏ん張って歩き、山荘へ着いた。

その日は白馬山荘で一泊する。大雪渓を登っているとき、ヘリコプターの飛ぶ音を聞いた。山荘で聞いた話によると、小雪渓をトラバース中に滑落する事故があったという。幸い、命に別状はなかったらしいが、登山は常に危険と隣り合わせなのだ。

翌日、白馬岳の山頂に立ったが、足元もおぼつかないほどの霧であった。展望は全くできない。小蓮華山（二七六九ｍ）を経て、白馬大池に着いた頃から霧がすこしずつ消えた。白馬乗鞍岳（二四六九ｍ）、池塘（ちとう）地帯の天狗原へと下り、栂池（つがいけ）ヒュッテで一泊。二日目もガスがかかって遠望することはできなかったが、山の魅力は十分に満喫できた。

むかし登った山への思いは、地下のマグマのようにいつか突然噴き出すものらしく、さらに数年後の夏、ヒロとテルは、中央アルプスの木曽駒ヶ岳（二九五六ｍ）へ出かけて行った。

中央アルプスは、駒ヶ岳ロープウェイの開業によって、観光客やハイカーにとっても身近な山になった。「しらび平」まで車でやってきてロープウェイに乗ると、標高差九五〇メートルを八分間で登り、アッという間に二六一二メートルの千畳敷カールに着いてしまう。

カールとは、地球が氷河期の時代に山が氷によってお椀型に削り取られた地形をいう。駒ヶ岳の千畳敷カールは高山植物のお花畑だ。遊歩道を歩くだけでも楽しい。

駒ヶ岳へは、八丁坂の急坂を落石に注意しながら五〇分登ると乗越浄土（のっこしじょうど）と呼ばれる尾根へ出る。山荘で一服して、稜線からの展望を楽しみながら登ると、中岳を経て約一時間で駒ヶ岳山頂へ着く。途中で、木曽の御嶽山、乗鞍岳が見えてくる。山頂からは北アルプスが遠望できる。その日は、良い天気で素晴らしい景色が堪能できた。

さて、本日の登山へ話を戻そう。

帰り道は、西の尾根へ進み、直登した道の外側へ半円を描くように遠回りした。森林浴をしながら三つの小さなピークを越えて、谷川へ下るコースである。

尾根伝いを谷へ下ると、気持ちのよい渓流沿いを歩く。道は山の神峠で合流する。峠からは登ってきた往路を神社へと下った。

球磨・人吉地方

白髪岳（しらがだけ）1417m　在所：熊本県球磨郡あさぎり町

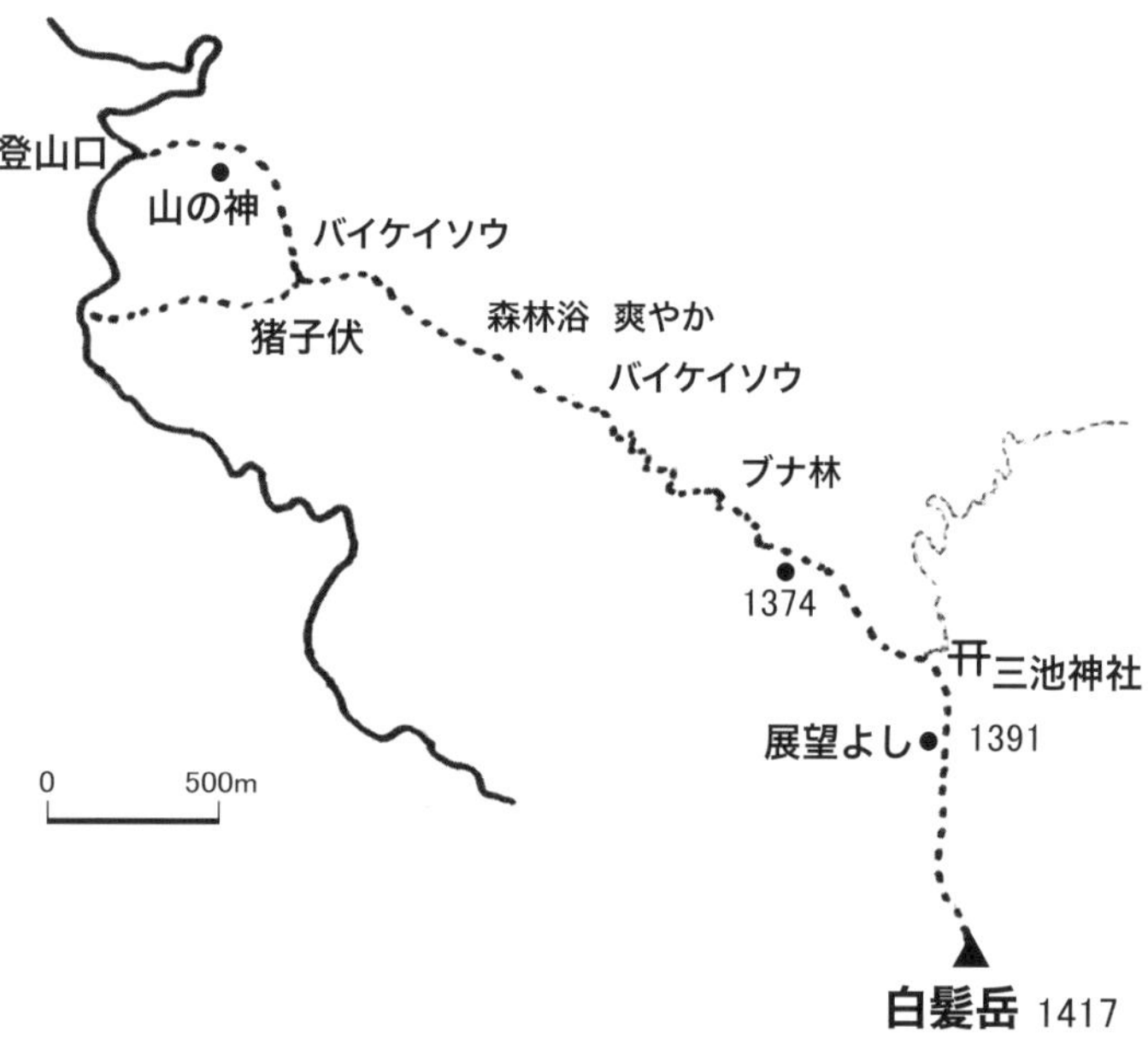

熊本県南部の球磨(くま)郡あさぎり町にある白髪岳(しらがだけ)へ登るつもりで出かけたが、あいにくの雨である。登山は明日にして、今日は相良(さがら)氏の城下町であった熊本県人吉(ひとよし)市をぶらりと歩くことにする。

球磨川上流にある球磨・人吉地方の中心地である人吉市は、九州の脊梁(せきりょう)山脈に囲まれた盆地の中にある。

山地が直接川へ迫っている所では、水路を利用する方が険しい山道よりはるかに効率が良い。ご多分に漏れず、人吉から八代(やつしろ)への物資の輸送は水運に頼っていたが、急流の球磨川をくだるのは大変危険であった。安全な水路とするために、江戸時代初期に人吉藩の御用商人・林正盛が私財を投じて球磨川の整備を始め、約三年がかりで一六六五年(寛文五)に完成した。

それ以来の約二四五年間、人と物資の輸送ルートとしての球磨川には櫓漕ぎ船や帆掛け舟が行き来したのだが、一九〇八年(明治四一)に八代・人吉間の鉄道が開通すると、輸送路としての役目を鉄道へ譲った。

水運事業は観光産業に姿を変えた。二人の船頭が操る川船での球磨川下りは、人吉観光の目玉である。大型ゴムボートで急流を下るラフティングは若者に人気がある。

自動車が輸送の主役となり、一九六三年（昭和三八）に球磨川沿いの八代市・人吉市間の五六キロを結ぶ国道二一九号線が整備された。しかし、往時は物資の運搬はもちろん人馬が通るだけでも危険な難所が多い道だっただけに、現在の国道も豪雨や台風のたびに崖崩れや路肩の決壊で復旧工事が絶えない。

山岳地帯を貫いた九州自動車道ができて、八代からの距離は、三九キロに短縮された。自動車道は六・三キロの肥後トンネルほか長短二〇個所のトンネルをくぐる。トンネルの多さにうんざりしている時に、突然天地が開けて人吉盆地が現れる。球磨・人吉地方はそれほど山深い土地である。

雨とも霧ともつかぬ薄絹をかけたような霞（かすみ）の中を球磨川が流れている。

球磨川のほとりにたたずむ人吉城址に登った。人吉城は、相良（さがら）氏が戦国時代に築いた城である。相良氏は、鎌倉時代に御家人として遠江（とおとおみ）（静岡県）相良庄（さがらのしょう）から地頭として赴任して以来、明治維新に至るまでの約六七〇年間にわたり球磨・人吉地方を治めた。

小雨の中を訪れる人は誰もいない。ぬれた石段を滑らないように注意して登ると、屋敷が建てられていた跡の広場へ出た。足元にまといつくほどの丈にのびた草に時代の栄枯をしのびながら広場を横切った。

相良氏が中世に築いた城は、現在の城跡よりもっと山の上にあった。城というよりは山の形状を利用して築いた砦（とりで）であり、石垣は築かれていない。

現在の城は、戦国時代に築城を開始し、江戸時代初期に完成した。球磨川と背後の山を自然の要害とした平城（ひらじろ）である。建てた当時から、天守閣は持たず、一番高いところにはこじんまりした護摩堂が建てられていた。

江戸時代の人吉藩は、二万二千石の外様大名であった。藩主・相良氏は、財政立直し政策にまつわるお家騒動、藩主暗殺などの事件が起こったにも関わらず、お家取り潰しの難を逃れ、明治維新まで生き残ったのである。

一、球磨焼酎

球磨・人吉地方は焼酎作りの盛んなところで、いくつもの酒造所がある。繊月（せんげつ）酒造はその一つ。城の目前にあるこの酒造会社は、明治三六年に創業し、米焼酎を造っている。

工場を訪れたら、「お待ちしていました」と、きれいなお嬢さんが出てきて、案内してくれた。名札には桑原令子（仮名）とある。

工場内は、新しい設備に入れ替えられて創業時代の面影はない。整然と蒸留装置や焼酎を寝かせておくタンクが並び、瓶詰めされた焼酎がベルトコンベアに乗って輸送場の方へ流れている。

二階は、麹（こうじ）ともろみを造る場所である。焼酎造りに重要な工程は、原料米に種麹を混ぜて麹を作る作業と、出来上がった麹に仕込み水と酵母を加えて、もろみを造る作業である。

工場の奥に焼酎の展示と売店をかねた部屋があり、試飲ができる。陳列棚に並んでいる数十種類の焼酎を小さなコップで少量ずつ味わいながら、令子さんから焼酎にまつわる話を聞いた。

「江戸時代の人吉藩は、表向き二万二千石の小さな大名でしたが、四方を奥深い山々に囲まれた盆地であるため幕府の目が届きにくく、人吉藩の領地には、多くの隠し田（かくしだ・山襞（やまひだ）に隠されるように作った田）がありまして、実際は十万石以上だったといわれています。藩はその隠し田で作られる豊富な米を利用して焼酎造りを奨励しました。焼酎を売ることによって藩の財政を潤わせることが目的でした」

と、令子さんは話し始めた。

球磨・人吉地方で焼酎が造られ始めたのは室町時代からで、相良氏はこれを保護した。自家用焼酎は製造自由。藩の財政に寄与した者には、製造販売を許し、無税とした。

藩政時代に焼酎を製造販売する者は、人吉藩の免許をもらわなければならなかった。免許を得た業者は「入立茶屋（いりたて）」と呼ばれていた。「茶屋」というのは、焼酎酒造所あるいは販売所（居酒屋）と同義語だった。

ほととぎす自由自在に聞く里は酒屋へ三里豆腐屋へ二里

これは、江戸時代の『万代狂歌集』にある頭光（つむりひかる）の狂歌である。ホトトギスの鳴き声を聞きたい時に聞けるようなところでの生活を楽しむには、酒屋へ行くには一二キロ、豆腐を買いに行くには八キロも離れた山の中に住まなければならない。風流とは不便なものよ、といっている。

球磨・人吉地方は、山深いという点でこの歌の雰囲気にぴったりのところである。ただし、酒屋も豆腐屋もごく近くにある。

球磨川中流から上流にかけての球磨・人吉地方は、米を原料にした球磨焼酎の蔵元が二八社もある焼酎王国である。

現在の焼酎は、アルコール度数が二五度や二〇度の匂も味わいも軽いものが好まれるが、以前は、焼酎独特の強い匂がする三五度が主流であった。

今でこそ焼酎は全国で飲まれるようになったが、焼酎のよさが関東地方まで浸透したのは一九八〇年代の頃である。蒸留器の気圧を減圧することにより、もろみを低温で蒸留する方法が考案され、臭いや雑多な味を抑えた焼酎ができるようになったことも人気に拍車をかけた。一方、昔ながらの製法でクセとコクがある球磨焼酎を守り続けている酒造元もある。

日本酒は身体がじんわりと温まってきて、ほかほかした状態が持続する。これに対して焼酎は、飲んだとたんにカーッと身体が温もり、酔い覚めはスーッと引いていく。夏の暑さに打ち勝つ飲み物なのである。生地で飲んでも、オン・ザ・ロックにしても燗（かん）をつけても、お湯割りでもかまわない。飲んでいるうちに出てくる汗は、タオルで拭いて、また飲めばよい。歳時記では焼酎を夏の季語としている。

「焼酎の『焼』は加熱（蒸留）するという意味です。『酎』は濃い酒という意味を持って

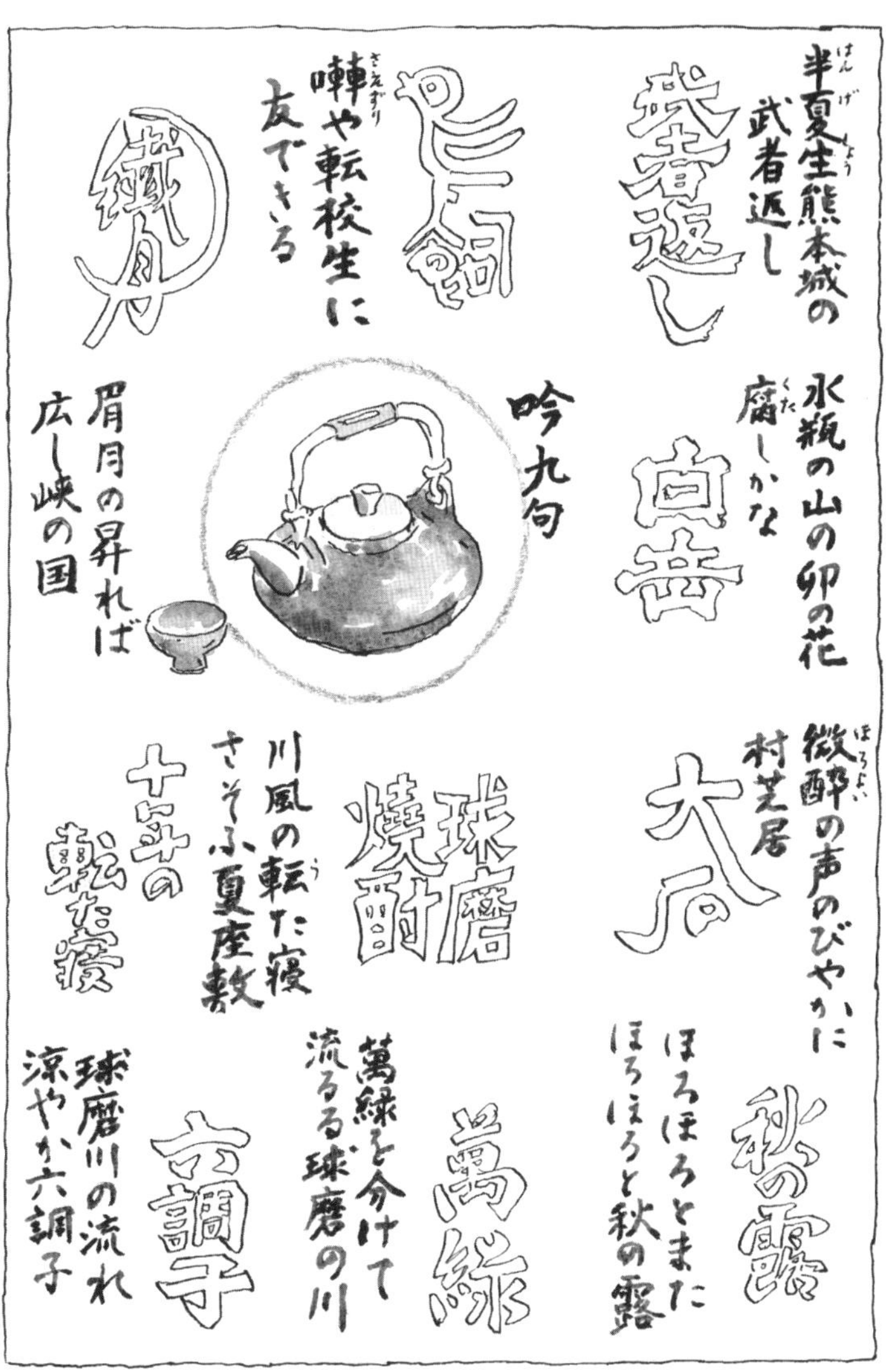
半夏生熊本城の
武者返し
武者返し
囀や転校生に
友できる
吟九句
水瓶の山の卯の花
腐しかな
白岳
眉月の昇れば
広し峡の国
繊月
微酔の声のびやかに
村芝居
大石
球磨焼酎
川風の転た寝
さそふ夏座敷
十年の
転た寝
秋の露
ほろほろとまた
ほろほろと秋の露
萬緑
萬緑を分けて
流るる球磨の川
六調子
球磨川の流れ
涼やか六調子

います。穀物を蒸留してアルコール度の高いお酒を造る方法は、基本的にはウイスキーと一緒です。米を原料にして醸造したものを日本酒といいますが、日本を代表する蒸留酒である焼酎は、原料を限定していません。米でなければならないとか、芋でなければならないという規則はありません。原料にでんぷんが含まれていれば、どんな原料でも造ることができます。そのため、米、芋、麦、砂糖キビ、ソバのほか、栗、ゴマ、人参、昆布、ピーナッツなど七〇種類以上の原料で、いろいろな焼酎が全国で造られています」

令子さんは、米焼酎以外の焼酎にも詳しい。さらにつづけて、

「焼酎の歴史は古く、一四世紀には沖縄や奄美諸島で飲まれていたようです。鹿児島県伊佐市大口にある郡山(こおりやま)八幡神社の本殿を一九五四年(昭和二九)に解体修理した時に、頭貫(かしらぬき)(柱の上部をつなぐ横木)に打ち付けられていた木札が見つかりました。木札には、永禄二年(一五五九)の日付と大工の棟梁の名前があり、『施工主はケチで、工事の間に一度も焼酎を振舞わなかった』という恨み言が書かれてありました」

落書きをして後世に残そうとしたのであるから、大工の棟梁の腹立ちは相当なものだったと思われる。焼酎を飲ませない施工主のことを棟木に落書きするくらいだから、大

工に焼酎を振舞うのは一般的な風習だったのだろう。

「当時の焼酎は、何を原料にしていたのですか？」

とテルは試飲の焼酎の香りを吟味しながら尋ねた。

「それはよく分かりません。何しろ、当時の資料は、その木札に書かれたものだけなのです」

と令子さんは、すまなそうに言う。

「現在、鹿児島県の焼酎は、ほとんどが芋を原料としていますが、鹿児島に芋が伝来したのは、一七世紀初頭より後のことですから、一六世紀の焼酎の原料が芋ではなかったことは確かです。当時の薩摩大口は相良氏の領地でした。しかし、当時の米は貴重品だったはずですから、原料は雑穀だったと思います」

と微笑んだ。笑うとえくぼが可愛い。

焼酎の伝播・伝来のルートには諸説ある。①朝鮮から対馬へ高麗酒（焼酎）が伝わったという朝鮮半島経由説、②倭寇が南洋諸国から持ち帰ったという説、③琉球とシャム国（タイ）との貿易によって輸入したという説、④中国福建省から沖縄に伝わったという説。

面白いことに、焼酎を飲む酒器の形や呼び名が沖縄、鹿児島、熊本球磨地方で似かよっている。

焼酎を注ぐ沖縄のカラカラと呼ばれている酒器は、酒好きの坊さんが考え出したものといわれている。酔うと銚子を倒してしまうので、倒れないようにするために、鏡餅のように胴を広くして、細い注ぎ口がついている銚子を考案した。使い勝手がよいので、「からぁ、からぁ(貸せ、貸せ)」と借り手が多かったことからカラカラと言うようになったという。

沖縄では、湯茶を入れる土瓶をチャーカァ(茶家)というのだが、泡盛を飲むための酒器チュウカァ(酎家)は、これを小型化したものだ。

鹿児島の酒器である黒ジョカは、古来日本のヒサゲ(提・提子)の格好をしているが、沖縄のチュウカァといってもよい。少なくともジョカという呼び名はチュウカァが訛ったものであろう。

熊本県球磨地方の酒器であるガラは、名前も形も沖縄のカラカラにそっくりである。ガラは直火で温める陶器であるが、沖縄の酒器は直火にかけられない。なお、球磨地方のガラは、ほとんどが長崎県の波佐見町で造られたものだそうだ。

九州・沖縄の酒器が似かよった形をしていることから焼酎のルーツを考えると、タイ国または中国福建省から琉球へ伝播したものと思う。

ヒロは、先ほどからウロウロしながら、美味しそうな焼酎を物色していたが、

「サク、これはうまい。飲んでみろ」

と、アルコール四〇度以上の古酒を勧めた。

「さっき、飲んだ。うまかった」

とサクは、涼しい顔をしていった。酒に関しては、さすがに目ざとい。すでに、好みの焼酎を買った手提げ袋をぶら下げている。

犠牲的精神で運転手を買ってでたトシは、試飲を我慢した。その反動からか、我々の品評を参考にして「土産にするのだ」と、多くの焼酎を仕入れた。

「また来てくださいね」

と令子さんは、次のお客さんの案内に走っていった。

二、相良氏

今夜の宿は、人吉市から二五キロ東の奥地・あさぎり町湯前の「湯楽里」である。湯前から東へさらに一一キロ走ると市房山の登山口だ。あさぎり町は、周囲を囲む深山の懐（ふところ）の中にある。

旅館は、「ゆのまえ温泉・湯楽里」という日帰り温泉を兼ねていて、玄関を入るとすぐに客が休憩できる大広間がある。

「ここらに住んでいる人は、どんな苗字の人が多いですか」

温泉に入ってさっぱりしたトシは、土地の者と思われる客に話しかけた。客は長椅子に腰かけて、湯上りのほてりを冷ましている。

「やっぱり、一番多い姓は、犬堂（いんどう）じゃろな。ここいらは、上相良（かみさがら）と言われとった土地でね。なにしろ、歴史のある土地ですけん」

と、顔から腕にかけて赤銅色に日焼けした白髪混じりの男性は答えた。

土地の人は、「犬堂」を「いぬどう」ではなく「いんどう」と発音する。

あさぎり町の住民は、犬堂、上村、深水、丸目、桑原などの姓を持つ人が多いという。かつての相良氏家臣団にゆかりのある名字である。

いい話が聞けると思って、トシが「大広間に行きましょう」と誘うと、「そがんしょうかね」と簡単に誘いに応じた。

大広間では、日帰り客の宴会が始まっていた。

注文した焼酎を勧めると、一口飲んで口を湿らせ、宴会のざわめきを気にする様子もなく、相良氏のいわれについて話しだした。

「相良氏が人吉地方を統治した始まりは、一一九三年（建久四）に相良頼景が球磨郡多良木庄（あさぎり町多良木）を領地として拝領し、下向したときとされております。多良木は、湯前の隣町ですたい」

相良氏の下向については諸説あるが、かつて遠江国（静岡県）相良庄に住む平家方の武士であった相良頼景は、罰を得て球磨郡多良木庄に追放されたと見るほうが正しいようである。

四年後、罪を許され、多良木庄を所領として授けられた。

鎌倉幕府は、九州地方の平家の領地であった土地に、東国の御家人を下向させ全国統治を強化していた。

その政策の一環であろうか、嫡男相良長頼(ながより)は、遠江国相良庄に残っていたのだが、幕府の命を受け、一一九八年(建久九)に多良木庄に隣接する球磨郡人吉庄へ下向し、矢瀬氏を滅ぼして領地とした。その後、戦功により人吉庄の地頭となった。

嫡男長頼の領地である人吉は下相良(しもさがら)、父頼景の領地である多良木は上相良(かみさがら)と呼ばれ、その一族、子孫たちが球磨地方一帯を治めた。女子の嫁ぎ先の子孫は相良氏の家臣団となった。こうして、相良氏一党は、肥後国の南部に根を下ろしたのである。

南北朝時代になると領地争いがおこる。一三五一年(正平六)ごろに、下相良氏は、多良木の上相良氏を圧倒し、日向北郷、飫肥(おび)郷にまで勢力を及ぼすようになる。こうして、人吉の下相良氏は、相良氏の惣領としての地位を確立した。

その後も相良氏は名君が続き、薩摩北部の大口、肥後南部の水俣(みなまた)、八代、天草を攻め取り、領地を拡大していった。

一方、薩摩、日向、大隈の三州を統一する過程にあった島津氏は、三州統一を果たすと、隣国の肥後へ軍を進めた。その際、相良氏の領土が肥後へ攻め入る道をふさぐ障害になってきたので、島津氏はこれまでの相良氏との同盟関係を反故にして、手始めに薩摩大口（薩摩大口は焼酎の落書きがあった土地）を攻めて領土とした。一五八一年（天正九）には、水俣城を攻め落とした。これにより、相良氏は島津氏に和睦を申し入れ、芦北全土を島津氏へ割譲した。

豊臣秀吉の天下統一が進み、島津氏征伐が始まると、相良氏は、秀吉に本領安堵を願い出て許された。一六〇〇年（慶長五）の関ヶ原の戦いでは、豊臣方につき西軍にあったが、機を見て東軍に転じ、徳川家から本領を安堵された。

こうして、徳川幕府のもとでは球磨郡内のみを治める、肥後人吉藩二万二千石の外様大名として生き残ったのである。

初代人吉藩主・相良長毎（ながつね）が戦乱の世を乗り切ったのは、家老の犬堂頼兄（よりもり）（相良清兵衛頼兄）の助けによるところが大きい。

犬堂頼兄は、関ヶ原の戦において、優勢と見た東軍への寝返りを策略し成功させた。戦いの後、主君長毎と共に徳川家康にお目通りを許されて、相良氏の所領安堵をお願いした。

相良氏が徳川幕府の大名となると、犬堂頼兄は、領内の経済基盤を充実し、家臣統率の要（かなめ）となった。しかし、辣腕（らつわん）がゆえに権力を独占した。相良の姓をもらい、相良清兵衛と名乗り、次第に藩主をしのぐほど専横になった。禄高は表向き二千石であるが、一説には八千石とも一万石ともいわれている。人吉藩の石高が二万二千石であったにもかかわらず、異常に高い禄高は、藩の出納を清兵衛が独占管理していたからできたことであった。

二代人吉藩主・頼寛（よりひろ）は、藩主をしのぐ存在となった相良清兵衛を一六四〇年（寛永一七）に幕府評定所へ訴えでて、清兵衛は津軽藩へお預け（遠流）との判決が下された。陪臣でありながら将軍にお目通りできた者は特殊な身分となり、その処遇につき当主といえども勝手に裁くことができなかったのである。

清兵衛が津軽へ旅立った後、処分に不服の犬堂一族は謀反を起こし、藩の鎮圧軍と戦って討ち死にする。

幕府は、常々、大名の領地内での不祥事を理由として、大名の改易、転封、減封を行っていたが、人吉藩のこの事件を問題にした形跡がないのは不思議である。

伏目がちに話していた土地の客は、顔を上げて言った。

「しかし、土地のものは、清兵衛さんのことを悪く言う人はおらんですよ」

清兵衛の評価は、見方によって分かれる。人吉藩は禄高二万二千石ながら、実際の禄高は十万石といわれるほどの高い生産力の基礎を築いたのは清兵衛であった。

江戸時代中期の一七五九年（宝暦九）、八代人吉藩主・頼央（よりひさ）が球磨川沿いの茶屋亭で休養中のとき、何者かに狙撃され一カ月後に死亡した。頼央には嫡子がおらず、日向高鍋藩の藩主秋月氏より養子をもらうことを、幕府に報告して帰国した直後の事件である。幕府へ報告の通り、秋月家の四男・晃長（みつなが）が養子として相良家を継いだ。

ついでながら言うと、晃長の兄（秋月家次男）は、出羽米沢藩主上杉氏の養子となり、第九代米沢藩主となった上杉鷹山（ようざん）である。鷹山は、米沢藩再興に努力した江戸時代屈指の名君といわれている。改革の要諦を示した《為せば成る為さねば成らぬ何事も　成らぬは人の為さぬなりけり》の和歌は有名である。

藩主・頼央の変死について、人吉藩は幕府へ「病死」と報告したのであろうが、このときも、幕府は詳しく吟味を行った形跡がない。

球磨地方が周囲を自然の要害に囲まれた山奥の盆地とはいえ、幕府の目が届かなかったわけではないであろう。江戸幕府は、人吉藩を薩摩藩の監視役として利用するために、事を荒立てようとしなかったのではないか。

相良氏の存続については、常にこのような幸運があったように思う。

反転、寝返りを繰り返し、それが相手に受け入れられたのは、幸運としか言いようがない。

敵方から寝返って味方についた相良氏に対して、豊臣秀吉や徳川家康が寛大な扱いをしたのは、薩摩・島津氏の監視役として、また島津氏との勢力の緩衝帯として、相良氏を利用できると見たからであろう。そういう意味では、ときの為政者が島津氏の底知れぬ力を恐れていたから、相良氏は生き延びることができたのである。

江戸時代には一貫して人吉地方を治め、改易されることなく人吉藩の藩主として明治維新を迎えた。こうして、相良氏は鎌倉時代から一八六九年（明治二年）の版籍奉還まで球磨・人吉地方を統治した。

相良氏のほか、江戸時代末まで改易されることなく続いた大名は、島津氏、伊達氏、上杉氏、宗氏など数少ない。

話が一段落したところでトシは男に焼酎を勧めた。

「球磨の土地で呑む球磨焼酎は、うまいですね」

「地酒はよそへ売り歩いて行ったらいかんですよ。地元で呑まんなら、地酒じゃなかです」

と男はうなずきながら言った。

東北・北陸の酒をはじめ、全国の有名ブランドの日本酒が、「地酒」として製造地以外で売られている。「地酒」を標榜しながら、なりふり構わず販路拡大に走っているが、土地に根ざし、土地の人々に愛飲されてこそ地酒である、と彼は主張する。

「ところで、あなたの苗字はなんとおっしゃるのですか」

「わたしも犬堂ですたい」

と男は、目を細めて笑った。

三、白髪岳

翌朝目を覚ますと雨はやみ、霧がかかってどんよりした空模様である。

地名が「あさぎり町」というくらいだから、球磨川にはほぼ毎日のように朝霧が立つ。

朝もやの中でテルが詠んだ一首

苔(こけ)の吐く息はうっすら霧となり茸(きのこ)の傘をふくらませゆく

宿を発ったものの、白髪岳登山口までの道が不案内であったので、ガソリンスタンドに立ち寄って、大まかな道順を聞いた。農道を走る途中でタバコ栽培に従事している人にまた道を尋ねて、やっと林道への入り口を探し当てた。登山口は、そこからさらに林道を一〇キロ山奥へと登ったところにある。

車一台が通れるほどの道を登っていった。霧で視界はぼんやりとかすんでいる。

雨で地盤が緩んでいるのか、握りこぶしほどの石が斜面から落ちて、道路にごろごろ転がっている。舗装道路は、途中から砂利を敷いただけの道になった。道には車が通ってタイヤで削った二本の凹みができて、おまけに曲がりくねっている。オフロード向きの、地面と車体の間隔が高い車でなければ苦労する道だ。

二匹の鹿が道路を横切っていった。「おう、シカだ‼」と喜んでいると、雌のヤマドリに出会った。

九時一五分にやっと白髪岳の登山口に到着した。

白髪岳（一四一七ｍ）は、九州中央山地の南部に位置し、熊本県あさぎり町と宮崎県小林市、えびの市にまたがる県境にある。冬の朝、樹氷がついた山頂一帯が白髪のように見えることから白髪岳の名がついた。

ブナの原生林が成育し、様々な動物が生息している。一九八〇年（昭和五五）に環境省の自然環境保全地域に指定された。

先客の車が三台止まっている。登山口付近には、ウツギやヤマアジサイが咲いている。ヤマアジサイは、ガクアジサイよりは小ぶりな白い花である。

山頂までの距離は三・四キロ、標高差は四一六メートルだ。

登山口から一歩入ると、うっそうとした深い森で、高く大きく成長した木々の枝葉が空からの光をさえぎっている。薄暗い空間を歩くと、原始の森の世界へ飛び込んだようだ。湿った空気がうまい。樹木が吐き出している酸素をじかに吸っているようで、平地では味わえない濃厚な空気に思える。

九重山系や背振山系の、クヌギやコナラ、ミズキなどの林を歩くと、ヨハン・シュトラウスの軽快なワルツが流れ、うきうきした気分になるものだが、白髪岳のモミ、ブナ、ホオノキ、アカガシの大木が生い茂る森は、ブラームスやベートーヴェンの交響曲が響いているようで重厚である。オーケストラの巨大な音の渦に圧倒されるような森にいると、ちっぽけな人間がこの世に生かしてもらっているという、敬虔な感謝の気持ちが湧いてくる。

一番目のピークである猪子伏（いのこぶせ）までは、登山口から距離五五〇メートル、標高差二三三メートルである。いきなり急な坂道を登らなければならない。しかし、太い樹木に引っ張り上げられていくようで、不思議と足が軽い。

二〇分で猪子伏（一二三三ｍ）に着いた。尾根のピークとはいえ、木々に包まれた中に登山路より少し広い空間があるだけで、山頂の一つとは思われない。「猪子伏」の標識がなければ、気づかずに通り過ぎていくところであった。

ここから三池神社までの約二キロメートルは、緩やかなアップダウンを繰り返しながら三つのピークを越えていく。

尾根伝いの道もブナ、ツガ、モミの原生林である。ブナの巨木の下には、「山の水の守り神」の標識が建ててある。ブナの木が多い関東以北の地域では、ブナは木材としての利用価値が低いとして、植林地を広げるために乱伐された時期があった。しかし、最近は保水力のある木として見直され、保護されているところが多い。秋田県と青森県にまたがる白神山地は、世界規模のブナの原生林を評価されて世界遺産に登録された。

白髪岳はブナの木が育つ南限である。昨日まで雨が降ったのに、森の中を歩いても靴が泥だらけになるほどのぬかるみがない。これも、ブナの保水力のおかげであろう。白髪岳は降雨量の多い山である。ブナは白髪岳の水の守り神なのである。

昔は、白髪岳山系で道に迷うと容易に人里へ出られない山として恐れられていた。しかし、人吉市とえびの市の二方面から千メートルの高さまで車で登られるようになってから、自然破壊と動植物の生態系の崩壊が進んでいるという。その道路を利用して登ってきたので、ブナの大木の前にたたずむと複雑な思いに駆られた。

登山路は、たびたび倒木でさえぎられ、回り道を強いられるが、道は整備された一本道で迷うことがない。あたり一面に生えるバイケイソウの群生を二つに分けるように登山路が通っているところもある。細い道筋を踏み外してバイケイソウを傷つけないように用心して登っていった。

猪子伏に近づいたあたりから、断続的にバイケイソウが群生している。白髪岳登山の目的の一つは、バイケイソウの花を見ることであったが、開花には十日ばかり早く、花はつぼみであった。障子岳（しょうじだけ）や雁俣山（かりまたやま）でコバイケイソウという少し小ぶりの品種の小さな群生を見たことがあるが、延々と山の斜面にバイケイソウが広がって群生しているところは、九州の山では他に見られない。

バイケイソウは、林の奥まったところなど、湿った場所を好む多年草でユリ科の植物である。幅の広い葉は風格があり、山地に生える草花としては大きい。花を咲かせるときは、ニョキニョキと茎が伸びて、草丈は一メートルから一・五メートルになる。開花の時期には房状になった小さい花の集りが上を向いて伸び、二〇センチから五〇センチの穂をつくる。葉や根にアルカドイドを含み有毒である。本州中部以北に分布すると記述している植物事典もあるくらいだから、九州の山にこれだけ群生していることを知る人は少ないのであろう。

ミヤマシキミの木も多い。山地の薄暗い林の中に生える常緑低木で、葉も実も有毒である。深山(みやま)に生えるシキミの木ということで、ミヤマシキミと名づけられた。

シキミの木の名前は、有毒の悪(あ)しき実をつけることから来ているが、抹香の香りがすることから仏前に供えられたり線香の原料になる。

二つの木は形状や毒性など共通点が多いが、シキミはシキミ科の植物で、ミヤマシキミはミカン科である。ミヤマシキミの花は四、五月ごろに咲く。花はすでに淡い緑色の粒状の実になっていた。冬になると真っ赤に熟れる。葉をこするとミカンの匂いがする。

バイケイソウもミヤマシキミも、薄暗い山地を好む植物で、白髪岳の森の環境に合っている。目の前に自分の手のひらを広げても見えないほどの夜の闇の深さを想像できる。

白髪岳は、夜行性の鳥や動物が棲む山でもある。山中にテントを張って、ムササビが飛ぶ姿や、アオバズク（フクロウ）、ミソゴイの鳴く声を聞いてみたい。しかし、森の生き物たちが一気に活動しだすと同時に森の暗闇に棲む魔物たちも活動を始める。眠っている間に寝袋ごと引きずられて魔物たちの世界へ運び込まれる。幽霊花と称されるギンリョウソウが手招きをして迷い道へ誘い出す。大木に巻きついているカズラが蛇になり、鎌首をもたげて襲ってくる。引き返そうとしても細い踏み分け道だ。深い暗闇の森の中で踏み迷ったら……と考えると、怖くて一晩も耐えられないだろう。

毒とか暗闇とか、陰気な話題が続いて気持ちが重くなっていた頃、ツルアジサイを見つけた。大きな木によじ登り、点々と白い花を咲かせている。クマシデ、シロモジの幼木もすくすくと育っている。赤いつるりとした肌の木はヒメシャラだ。こんなに大きくなるのかと驚くほどの太い幹が高々とそびえて、木漏れ日のなかに緑の葉をきらきらと輝かせている。

上り坂の途中で、ここらで一服（いっぷく）したいと思うあたりに、「立って一時（いっとき）」（立ったままで、チョット一息つきましょう）という標識がたっている。

なかなか粋なことを言うなぁと、さらに登っていくと、「座って二時（ふたとき）」（座ってしばらく休みましょう）という標識が立ててある。標識のあたりで立ち止まって周りの景色を見渡せば、バイケイソウがいっぱい生え広がっている。深い緑の林が奥の奥まで広がっている。

もし、時間があれば、山の中でたびたび立ち止まることをお勧めする。きつい登り坂では、足元しか見ていないので、歩いているときの視界は意外と狭い。立ち止まると、今まで見過ごしていたものが見えてくる。自然の美しさと、不思議さが見えてくる。予定を気にして先を急ぐばかりで、ひたすら歩く登山をする人は、ずいぶん損をしている。

モミの巨木の下で若い男女が一休みしていた。大きなモミの木の下にはこんな標識があった。

「行こか休もか気モミの木」（このまま登り続けようか、一休みして大きなモミの木を見ようか、気がもめるモミの木だなぁ）。

球磨・人吉地方には、粋人が多いようだ。

このような話は焼酎の銘柄にもある。「白岳」という球磨焼酎の名前は白髪岳に由来する。焼酎の名前としてもらった「白髪岳・しらがたけ」から、我を張らぬように「が」を取り除いて「白岳・しらたけ」とし、「はくたけ」と読むようにしたのだそうだ。

私たちも一休みして、隆々と立つモミの大木を見あげて水を飲み、飴玉を口に放りこんだ。

ブナの大木が倒れている。直径三メートル以上もある根が引き抜かれて横倒しになっている。それも、二カ所や三カ所ではない。倒木は、最近倒れたものから、倒れて数年経つものまでいろいろである。天寿を全うして倒れたと思われないものは、台風などの自然災害によるものだ。自然の摂理によるものであるから、どうにもならないが、山頂付近のほとんどの木が幹の途中からなぎ倒されて荒涼としている風景を見ると、台風の猛威がいかに恐ろしいものか思い知らされる。

救われるのは、倒木によって光をさえぎるものがなくなった空間に、次の新しい命が、たくましく芽生えていることである。

自然の美しさは、公園や人工樹林の美しさとは全く異なるものである。森の中では、命を終えて古木が倒れてもいろいろな命の営みが継続される。倒木が腐り、きのこが生えて、虫が住みつき、さらに腐食を進める。繁殖した虫を鳥が食べ、新しい空間からは朽ちた倒木を栄養にして次の若木が伸びていく。自然の猛威により大木が倒れても、山が自然の復元力を備えていたら森は生き返る。

自然を守るというときに、自然と人間が対等な立場だと考えるべきではない。人は、単なる自然の一部にすぎないのだとへりくだった気持ちで発想すべきである。言いかえると、自然を守ることは、人を守ることである。

三池神社に到着した。三池神社はあさぎり町にある白髪神社の上宮である。雨乞いと安産祈願の神社だ。今日の登山の無事を祈願して一休みする。

白髪岳は、熊本の球磨川、鹿児島の川内川、宮崎の大淀川の分水嶺である。白髪岳に降る多量の雨が三つの川へ流れ込み、それぞれの平野の田畑を潤し、豊かな実りをもたらす。雨乞いと安産にはそんな思いがこめられているものと思う。

山頂まではあと約八百メートル。なだらかな傾斜を登っていく。スズタケが枯れている。山頂に近づくと、倒木が多い。三池神社から山頂までは、風が通る道になっているらしく、今まで全く風を感じなかったのが急に風を受けて寒くなった。

一一時に白髪岳（一四一七ｍ）山頂へ到着した。山頂には国土地理院が測定した一等三角点がある。

山頂付近のほとんどの木が倒され、あるいは、途中から折れて、荒涼としている。台風による被害はすさまじい。山頂に樹木が茂っていると見晴らしが悪いので、人の手で伐採されている山があるが、白髪岳は自然環境保全地域なので、人が伐採したのではない。自然の力によって展望は良くなったのだが、これほど倒されていると無残だ。

時々小雨が降り、ガスがかかって遠景は何も見えない。晴れていると北の方角に市房山、石堂山が見えるし、南の方角には霧島連山の高千穂峰と韓国岳を眺めることができるのだが、影絵のようにうっすらと浮かぶ霧島連山が見えるのみであった。

山を降りて、温泉に入れてくれるホテルを探した。最初の旅館は、駐車場が満杯だ。隣のホテルへ入ると、ロビースタッフが出てきて、われわれの格好をすばやく観察した結果、「恐れ入りますが、一四時以降のお客様は、お断わりしています」という。不満であるが、引き下がる以外にない。公衆浴場の人吉温泉元湯へ行ったら、清掃中である。それならば、と堤温泉へ行った。

堤温泉は繊月(せんげつ)酒造に隣接する公衆浴場である。おりしも、この日は例年初夏に行われている繊月酒造の酒蔵祭だ。振舞い酒で赤い顔をしたおやじさんや、声高に話すおばさんが、ぞろぞろと酒造会社の門から出てくる。

堤温泉は、大正時代の建物で木造平屋建。正面全体に取り付けられた広いひさしは、北国の雁木のようであり、人吉市が雪深い土地であることを想像できる。ひさしの下には玄関左に自動販売機が一台、右手の柱には蔵祭りの看板が立てかけてある。ひさしの下は駐輪場にもなっているのか、自転車が二台止めてある。窓には、スライドさせると外からの目隠しとなる外板が取り付けられている。一つひとつが古きよき時代への郷愁を呼び覚ます。

入り口には、「繊月祭につき本日無料」と張り紙がしてある。

堤温泉は隣の繊月酒造が経営している温泉である。通常の入浴料は二〇〇円。番台には、おじいさんが座って、終日テレビを見ている。番台の人がいないときには、湯銭を料金箱に入れる仕組み。人吉への恩返しの意味が込められていて、儲かろうという気はないようだ。

下駄箱に靴を入れて脱衣場に入るとガランとした空間で、隅のほうに脱衣籠が無造作に積み上げてある。

ガラスの引き戸を開けて石段を三段くだったところが浴室である。女湯との境壁のほかはガラス窓で明るい。

長方形の浴室の真ん中に湯船があり、周囲が洗い場である。湯船は、二つに仕切られて一方の湯船へ掛け流しの温泉が流れ込み、もう一方はお湯がぬるめになるように仕掛けてある。

浴槽へ入るガラス戸の上には、「入浴者の皆様え（ママ）」という昭和二四年の入浴心得をそのまま掲げてあった。

・浴槽内にてひげそり入歯洗いをしないこと

・浴槽内で石けん、洗粉、ぬか等を使用しないこと

などは、時代の風俗が偲ばれて興味深い。洗粉（あらいこ）は、粉石鹸（こなせっけん）のことである。現在のシャンプーが粉セッケンだったことを覚えている。浴槽の中で洗粉を使ったら、泡だらけの洋式の浴槽（バスタブ）に入るような事態になる。セッケンがない時代は、米ぬかを小さな袋に入れて肌をこすって洗っていた。戦後しばらくの時代まで、入浴用のぬか袋を使用する人がいたのであろう。近年、浴用石鹸は液体になりつつある。時代は移り変わるものである。

浴室の先客は四人。みんな赤い顔をしていた。ぬるい湯船の中では、蔵祭りで飲み放題の酒を飲みすぎた年配の男性が眠りこけている。溺れてしまうのではないかと心配していると、お湯の中に倒れこむほど傾いてきたら、薄目を開けて体勢を立てなおす。

風呂から出たら、中年の大柄な女性が女湯の入り口に立ち、

「番台がおらんけん、私が入っているときに覗き見をされないように見張っといて」

と甲高い声で叫んでいる。

女性も振舞い酒の焼酎を飲みすぎたのだろう。

※二〇二〇年（令和二）七月、熊本県南部に記録的な豪雨が発生した。球磨川がほぼ全域で決壊・氾濫して六千戸以上が浸水あるいは水没した。土砂崩れが各地で発生した。あの美しい町が丸ごと濁流にのみ込まれた映像をテレビニュースで見て呆然とした。
豪雨による熊本県下の死者は六五人に及んだ。

お亡くなりになった方々のご冥福をお祈りするとともに、被災地の一日も早い復興を願っている。

蛍ふわふわ

年をとるごとに身体の支障や体調不良を訴える登山仲間が多くなり、一緒に山へ行く機会が少なくなった。そんな訳だからではないが「山と海とは一体である」という考えで、海との付き合いが増えてきた。

ボランティア団体の一員として、西海国立公園の九十九島湾一帯に漂着するゴミの回収や島に棲む動植物の生態観察をしている。漂着物には、冷蔵庫や洗濯機など、とんでもないものがある。島へ渡るたびに、ペットボトル、発泡スチロールなどのプラスチックごみ、ビニール製品などが大量に漂着している。中国、韓国からの漂着物もあるが、ほとんどが国内の生活ゴミであるのが悲しい。

プラスチックは海洋を漂って劣化すると小さく分解される。魚がそれを餌と思って食べる。異質物を食べた魚を人が捕って食べる。このような食物連鎖によって、自然を汚す人の行為は、つまるところは人類へ害を及ぼす。

漂着物の回収は、西海国立公園の環境保全が直接の目的であるが、地球環境を守るという根本的なことにつながっている。

観光船でのガイドや水族館の案内もやっており、そんな海の仲間と梅雨の前にはホタルの観察に出かける。

子どものころには、ホタルの季節になると、家の周りにふわふわと飛んでいたものだが、川の上流へ行かないと見られなくなってしまった。

西九州自動車道を佐々インターチェンジで降りて佐々川を渡り、しばらくして脇道へ入ると、緩やかな登り坂になる。離合が難しいほど細い山道だが、この時間に下ってくる車は滅多にいないのでブンブン走る。日没前に治水ダムの上流へ着いた。

駐車場には軽自動車が一台止まっている。先に到着していた小島さんが、薄暗くなった山裾の陰から歩いてきた。

「こんにちは。ウグイスがいたるところで鳴いていますね。ウグイスの集会があっているのでしょうか」

テルが能天気な挨拶をすると、小島さんは真面目な顔で

「向こうの森では、フクロウが鳴いていました」

と振り返って青黒い林の塊を指差した。

小島さんは中学校の理科の先生をしていた人だけに植物、動物、昆虫に詳しい。自然観察会のときには、文字どおり先生となる。眼鏡の奥で大きな目玉が光った。フクロウ

は賢い鳥とされている。小島さんがフクロウに見えた。

フクロウは夜行性の鳥で、目の感度は人間の一〇〇倍という立派なものだけに夜目が利く。動物、小さな鳥、昆虫などを捕食する猛禽類である。フクロウがいるのならば、食料となるネズミ、トカゲ、カエルなどの小動物や小鳥、昆虫がこのあたりに生息しているはずだ。ウグイスたちは、フクロウが襲ってきたらどのように対処すべきか、という危機管理体制を話し合っていたのかもしれない。

ここは、ホタルが多く生息しているところで、梅雨入り前の五月末から六月初めのころに、二〇〇頭から三〇〇頭のゲンジボタルが乱舞する。

葦や灌木が生い茂った荒れ地だったのだが、谷間を整備して公園ができた。しかし、山の中なので、日ごろ訪れる人は少ない。山裾に幅三メートルほどの小川があり、広場の真ん中を横切って下流へと流れている。子どもたちが走り回って遊べる広場ができたのはいいが、川の畔に繋っている葦や樹木の茂みまでがすっかり刈り取られてしまった。おかげで、湿気と陰を好むホタルにとって、棲みにくい環境になった。

日が暮れてくると、誘い合った仲間が三三五五とやってきて、一五人ほどが集まった。

広場には、東屋風の休憩所がしつらえてある。

「食事をしながら、ホタルのお出ましを待ちましょう」と、ミズヨさんが休憩所のテーブルに手作りのちらし寿司を広げた。タカコさんがおしゃれな編み籠の中からエノキの豚巻を取り出した。力持ちのヤスコさんは抱えてきたスイカを切った。テルは、奥さんが焼いてくれたクッキーを差し出した。ランプを灯し、キャンプをしている気分で持ち寄った手づくり料理を食べるのは楽しい。

あたりがすっかり暗くなった頃、小島先生がホタルの講義を始めた。各自は、配られた資料に懐中電灯を照らした。

隣にいたサヨリさんが電灯で照らしだされたホタルの幼虫の写真を見て、「これ何、気持ち悪い」と身をくねらせた。

「昆虫の幼虫は、成虫とは似ても似つかぬグロテスクなものですよ。チョウチョウの幼虫であるイモムシは・・・」とサヨリさんの耳元でテルがささやくと、「キャー」と大きな声をあげて広場の方へ逃げて行った。どうやら、イモムシはもっと苦手らしい。

叫び声を聞いても、いかなる痴漢行為があったかどうかは、いっこうに意に介しない様子で、小島先生は講義を続ける。

日本に生息するホタルは約五〇種類であるが、発光するのはゲンジボタルとヘイケボタルなど数種類しかいない。

「どうして、源氏と平家という名前になったのですか？」

と田原さんが質問した。

先生が答えにためらっている一瞬の虚をついて、テルがそれに答えた。

「昔むかし、初夏の季節になって、最初に世の中に出て光るのは、どの蛍族にするかという、出場順番の争いがありました。二つの蛍族が勝ち残り、決勝戦の結果、勝った方がゲンジと名乗り、負けたほうはヘイケと呼ばれたそうです」

周囲は、ざわめきだした。小島先生はそれを制して、

「ハッハッハ、名回答ですね。ゲンジボタルは、今の時季、つまり五月下旬から六月上旬に現れます。ヘイケボタルはそれより少し遅れて、六月中旬ごろから現れます。ヘイケボタルはゲンジより一回り小さいホタルです。光も弱い。ゲンジに負けたからですかな。ハッハッハッハ」

すべての昆虫に異なる名前を付けることは大変なことだ。なにしろ、ホタルだけでも全世界に約二千種類いる。したがって、同種類の見分けがつけやすいように、翅（はね）の文

様、色の特徴、体の恰好などを表現した名付けが多い。

蝶や蛾を例にとると、

・ルリシジミ→瑠璃色をした翅のシジミチョウ。
・ツマグロヒョウモン→翅の縁が黒く（褄黒）その内側に豹のような文様（豹紋）がある蝶。
・クロハネシロヒゲナガ→黒い翅をもって、白くて長い触角（白髭）のある蛾。

なかには、ケンモンミドリキリガ、トビモンオオエダシャクなど、どこで区切って読んだらいいのか分からないものもある。

それからすると、ゲンジボタル、ヘイケボタルは、蛍一派の双璧としてふさわしい名前だ。初夏の闇の中で幻想的な光を点滅させて、どこか頼りなさそうに飛び交うホタルを見ると、だれもが哀愁を感じるだろうし、その名前から、誰もが歴史上の出来事を頭の隅っこに思いだす。栄華を極め、そして滅びた二つの氏族である源氏と平家の名前をホタルの名前にするとは、心憎い限りである。

東屋のすぐ近くで四、五頭のホタルが光りだした。

「ホタル。ほらホタル。あら、あそこにも」とケイコさんが嬉しそうに指差した。

「イヤー、出てきましたね」と小島先生は、自分がホタルを呼び出したかのように言って、「ホタルのお尻が光るのは、オスとメスとが呼び合う愛の信号です」と続けた。

ケイコさんは、隣に立つ田原さんのお尻をそっと見つめた。

お尻は光っていなかった。

ケイコさんは田原さんの奥さんである。

『古今和歌集』にある紀友則（きのとものり）の歌を思い出した。

夕されば蛍よりけに燃ゆれどもひかり見ねばや人のつれなき

夕方になると、私は蛍の灯す火よりもっと身を焦がしている。それなのに、燃える心は蛍のように光らないので、あなたは気づいてくれず、つれないそぶりをしているのが悲しい。――

ケイコさん。平安時代の昔から、男のお尻は光っていなかったのですよ。

一頭がふわふわと東屋に近づいてきた。

「私のお寿司を食べにきたんだわ」

とミズヨさんが叫んだ。

「いいえ、私のエノキの豚巻を食べにきたのよ」

とタカコさんも負けていない。

女性たちの言い争いに決着をつけるために大崎さんが訊いた。

「小島先生、ホタルは何を食べるのですか」

「成虫になったホタルは、何も食べません。成虫の寿命は一〇日から二週間ぐらいですが、その間の食事は草の葉に降りた夜露の水滴だけです」

子どもの頃、ホタルを呼び寄せるとき「ほー、ほー、ほーたる来い。あっちの水は苦いぞ、こっちの水は甘いぞ」と歌ったものだ。成虫が水だけで生きているとは知らず無意識にうたっていたあの歌は、ホタルの生態をきちんと踏まえていたのである。

産卵させることを目的でホタルの成虫を飼うとき、食餌は霧吹きなどで水を容器の中に吹きかけておけばよいのだが、水で薄めた蜂蜜やスイカの果肉を与えたら長生きするという飼育結果があるという。わらべ歌には、やはり根拠があるのだ。

テルは、女性同士の意地の張り合いをしり目にして、「ホタルは、スイカの水を吸いにきたんですよー」と主張したかったのだが、先ほどのゲンジとヘイケの話の続きだと思って、誰も信用してくれないだろう。

宵闇が深くなった。

小川近くのこんもりとした雑木林の近くで、一〇〇頭を超えるホタルが飛び始めた。

みんなは、障害物につまずかないように、そろりそろりと小川の上流へと移動した。

ホタルが小川の近くで乱舞するのは、水辺の近くでじっとしているメスにオスが求愛しているからである。

ホタルの幼虫は澄んだ水が流れる川の中で生活する。水辺のコケや草むらに産み付けられた卵から孵化した幼虫は小川へ入り、カワニナという長さ三センチほどの巻貝を食べて成長する。

ゲンジボタルは偏食癖が強く、カワニナ以外は食べない。ヘイケボタルは、ゲンジボタルより適応性があり、タニシやモノアラ貝も食べるし、清流だけでなく沼や田んぼで生活できる。

上流には田んぼがあるらしく、遠くでカエルの大合唱が始まった。しばらく雨が降っていない。今宵は一晩中、雨乞いの合唱を続けるに違いない。

カエルがいると近くにヘビもいる。ヘビに遭遇したら、イモムシどころではない。

「ヘビがカエルを飲んでいるのをみましたよ」とサヨリさんにささやいたらどうするだろうかと、意地悪なことを考えてみた。しかし、見えないうちは恐さを知らないという謂れのとおり、サヨリさんは暗闇の草むらの中を堂々と歩きまわっていた。

月明かりの広場に子どもが座り込んでいる。

遠目には、二人の大人が「もう、おうちへ帰りたい」と駄々をこねる子どもをなだめているように見える。近づいていくと、春山さん夫婦とその子どもだった。

子どもは、駄々をこねているのではなかった。胡坐をかいたようにして地べたに座り、胡坐の中の小動物に、しきりと話しかけている。懐中電灯で照らすと大きなカエルである。

「お、、ヒキガエルではないですか。坊やはカエルとお話をしているの?」

テルの問いには「うん」と応じたきり、人間の大人との会話には関心がなく、坊やはカエルと話をつづけている。

「いやー、ヒキの奴がそこにじっとしていたので、子どもに教えてやったら、えらく気に入りましてねー」

と春山さんは、頭を掻いた。

春山さんは水族館の職員で、クラゲ飼育の責任者である。生き物相手の仕事をしていると、日頃の生活でもごく普通に小動物と接するようになり、それが子どもに伝播するのだろう。

テルが子どもの頃、カエルはどこにもいる小動物だった。小学生の時、ポケットにトノサマガエルを潜ませて登校し、廊下で跳躍競争をさせたことがある。小さなヘビを連れてきた者もいて、カエルをヘビに追わせたが、周囲の雰囲気に怖じ気づいて、ヘビのほうが逃げ回った。

廊下で遊ぶなと先生に叱られたが、カエルやヘビを学校へ持ち込んだから叱られたわけではなかったように思う。

中学生の時、悪童たちが英語教師のチョーク箱にカエルを忍ばせた。授業が始まり、先生がチョーク箱を開けた途端、カエルが跳びだした。真っ青になり、卒倒しそうになった先生は、教室を飛び出したきり戻ってこなかった。

放課後、薄暗くなるまで悪童一味が廊下で立たされていたという。

近頃の子どもは、カエルを恐がり、気持ち悪い生き物として近づかないそうだ。自然界の中で生活しているカエルを見たことがない子どもたちが大勢いるのだ。

夜行性であるホタルは、昼間は涼しい草の陰や木の葉の裏に隠れている。日没後から飛びはじめ、湿った蒸し暑い天気で風のない日、月明かりのない曇った日に多く飛ぶ。今夜は半月の月夜だが、飛び交うホタルは二〇〇頭に増えた。

「テルさんよー、あんたは、どうしてホタルを一頭、二頭とかぞえるのだ？ホタルは牛でも馬でもキリンでも象でもないんだゾウ」

と暗闇の中から声が飛んできた。

「そんな難しいことは、小島先生に訊けよ」

と言い返しながらも、あらかじめ小島先生に教わっていたことなので、「来たぞ、来たぞ」とテルは鼻の穴を得意げにうごめかせた。

イギリスでは、家畜を「head」と数え、五頭の牛を「five head of cattle」と言う。

日本でも、人数を揃えるときに「頭数をそろえる」といって、人数を「頭」で数えたりするでしょう。当然、動物園の動物も「頭」で数えた。また、西洋の動物園は、動物とともに珍しい蝶を飼育展示していて、動物園では動物も蝶も、すべて「頭」と数えた。そのうち、昆虫学者も蝶を一頭、二頭と数え始め、それが全部の昆虫に及んだ。日本でも「head」を「頭」と直訳し、これが昆虫を数えるときの助数詞となった。

なんだか「風が吹けば桶屋が儲かる」という諺に近い説明で胡散臭さが抜けないが、これが定説だという。しかし、普通の人たちが暮らす世界では、昆虫は「匹」と数えるのが一般的で、一匹、二匹と数えても一向に構わない。

日本語での動物や物の数え方は実に複雑で、「男一匹、荒波越えて」などと、人を「匹」と数えることがある。四足の動物を食べる習慣が一般的でなかった時代に、「わたしが食べているのは、鳥ですよ。兎を食べているのではありませんよ」と、ウサギを鳥に見立てて一羽、二羽と数えた。親の因果が子に報い、ウサギは今でも一羽、二羽と数える。

思いつくままに助数詞を並べてみましょう。
うどん一玉、掛け軸一幅、映画一本、行燈一張、位牌一柱、イカ一杯、箪笥・長持一竿、弓一張、山一座、ウサギ一羽、大砲一門、鉄砲一挺、駕籠・鎌・鉋・鋏も一挺・・・うーん、頭が痛くなりますね。

　これほどの数が飛び回れば、素手でもホタルを捕えることができる。タツコさんが片手でヒョイと一頭捕まえた。両手を合わせて作った虫かごの中で、ホタルはピーカ、ピーカと光っている。手を開いてもホタルは飛んで行こうとしない。

　ホタルは約二秒ごとの間隔で光る。光を発する間隔は地域によって差があり、東日本のホタルは、約四秒間隔だそうだ。東日本のホタルは、ずいぶんのんびりしている。それとも、西日本のホタルがせっかちなのだろうか。

　メスは水辺の草むらに居て、不定期に発光する。点滅して飛び回っているのはオスである。オスは、勝手に光を点滅させるのではなく、オス全体で点滅する周期を合わせて光る。オス同士が協力して一斉に点滅することにより、メスの不定期な信号を見つけやすくするためだと言われている。

　メスは、草むらや水辺に近いところでじっとしている。尻に灯した光はめったに点滅させないし、オスに比べて数が少ないから、なかなか見つからない。

先ほどから小島先生は、小川の向こう岸へ渡り、藪（やぶ）の中で捕虫網を片手にメスを探していた。

先生について回っていたサヨリさんが「メスがいましたよう」と大声をあげた。

先生の手から殺虫管を横取りして、息を切らして戻ってきたサヨリさんは、興奮冷めやらぬ様子で「メスですよ、メス、メス」と殺虫管を懐中電灯で照らした。

あちらこちらに散らばっていた者たちが集まってきて、頭を突き合わせて照らされたホタルをのぞき込んだ。

透明なプラスチックの殺虫管の中には、オスが二頭、メスが一頭いる。メスが明らかにオスより一・三倍ほど大きい。腹側がよく見えるように管を半回転させた。

オスにはお尻の部分の二つの体節に発光器があるのに対して、メスの発光器があるのは一つの体節だけである。オスはより強く発光させるために、発光器を二つ持っている。

小島先生は、私たちが比較しやすいように、殺虫管の中にオスとメスの両方を入れてくれていた。

殺虫管は、捕獲した虫を黙らせるためのもので、酢酸エチルなどをしみこませた脱脂綿を入れておくのだが、先生の殺虫管には、殺虫脱脂綿は入っていない。

全員が思い思いに確認した後は、「逃がしますようー」と殺虫管のふたを開いた。ホタルは管から抜け出してふわふわと飛んで行った。

ホタルの数が少なくなった。

いつの間にか、腕時計の針は二一時を指している。ホタルが最も多く飛び交うのは、夜の帳（とばり）が下りる頃から二一時ごろまでである。

空を見上げると、ホタルが天空まで飛んで行ったかのように無数の星が瞬いていた。北斗星がひときわ輝いている。久しぶりに見るきれいな夜空であった。

帽子論もどき

山や海へ行くときに帽子は欠かせない。帽子は、日焼けやガンを誘発する紫外線をさえぎる、万一に備えて頭を守るなど、様々な場面でその効果を発揮する。もちろんお洒落のアイテムでもある。そこで、帽子についてのチョット毛並みが変わった話をします。なお、この稿は丸谷才一著『夜中の乾杯』の中の「無帽論」にヒントを得ている。

旧聞になるが、副首相の麻生太郎氏が黒いハットを斜めにかぶり、黒のロングコートのいでたちをして、アメリカで開かれた国際会議に出席したときの帽子は目立ちましたね。あの帽子はボルサリーノと呼ばれるソフトハット（中折れ帽の一種）です。イタリアンマフィアには定番のハットで、映画の中では、マフィア役が決まってかぶっている。ウォールストリート・ジャーナルが「ギャングスタイル」と称して記事にした。

当時はかなり話題になったのだが、逆に言えば、それほど、世界を見渡しても帽子をかぶっている政治家が少ないということでもある。世界的な風潮として、帽子をかぶっている人は少ない。日本では、太平洋戦争の敗戦を境にして、帽子をかぶらなくなった。それはどうしてなのか？

それが分かれば、「帽子の文化史」という論文が書けるかもしれません。この場合、女性の帽子はファッション性が高いので、男性の帽子に限ります。

ここで、戦後の無帽の風習に至るまでの日本の帽子の歴史について、ざっと見ていきましょう。

帽子をかぶる習慣は、すでに奈良時代に始まっている。それは、冠（かんむり）をかぶって笏（しゃく）を持った聖徳太子の肖像画によって知ることができる。ただし、冠をかぶるのは正装を着用した格式の高い儀式のときや朝廷に出仕するときに限られていた。

平安時代以降の公家は、普段着を着用するときは烏帽子（えぼし）をかぶった。烏帽子は紙で編んだ上に絹地を張り、黒漆で塗り固めた背の高い帽子である。子どもが元服して成人になったら烏帽子をかぶせて祝うなど、帽子をかぶることが成人に達した証（あかし）でもあった。

時代がくだるごとに烏帽子にはいろいろな種類が生れた。

武士階級は動きやすいように高さを抑えた折烏帽子（侍烏帽子（さむらいえぼし））をかぶり、一般庶民は麻や木綿の生地でつくった袋状の萎（な）え烏帽子をかぶるなど、階級に応じて相応の烏帽子をかぶっていた。

『伴大納言絵巻』には、おびただしい数の人物像が描かれているが、僧侶と牛飼い（牛飼いは、成人した後も子どものように垂れ髪にして無帽であった）を除くと、成人男子のすべてが帽子をかぶっている。中世では公家も武家も烏帽子をかぶり、庶民もみんな頭にかぶり物をしていた。

ところが、不思議なことに近世（江戸時代）になると、公家は別として、武士と庶民は帽子をかぶらなくなった。

戦国時代の武士たちは、領土拡張と覇権争いに明け暮れており、合戦の際は、鎧兜（よろいかぶと）に身を固めて戦っていたことはご承知のとおりです。

問題は、兜（かぶと）だが（兜は帽子の一種である）、鉄砲が伝来し、飛び道具の主力が弓矢から鉄砲になると、銃撃戦に耐えうるように頭をすっぽり覆う兜に改良された。しかし、密閉型の兜をかぶると頭が蒸れる。のぼせて血が頭にのぼる。長髪では痒くてたまらない。少しでも蒸れを防ごうとして、頭のてっぺんを剃ったというのが通説である。

こうして、武士は頭の天辺の髪を剃り落し（これを月代（さかやき）という）、チョンマゲを結うようになった。

この説は一理あると、私は思っている。

平安時代の兜は、三角形の鉄板をつなぎ合わせて鋲（びょう）で止めていき、丸い鉢型にしたものので、つなぎ合わせた天辺（てっぺん）には、直径四センチほどの穴が開いていた。

『平家物語』の記述を見てみよう。

巻第四「橋合戦」の段に、下野国（しもつけのくに）の住人・足利忠綱が川へ騎馬を乗り入れて敵陣へ迫る場面がある。

忠綱は川を渡り終えるまでは攻撃を仕掛けず、防御に徹せよと部下たちに下知（げち）を飛ばして、「常にしころをかたぶけよ。いたうかたむけて、てへん射さすな」と言った。

「常に兜をうつむき加減にして**しころ**で敵の矢を防ぎ、顔と首を防御せよ。しかし、あまり傾け過ぎて、天辺を射られないように気をつけよ」と部下に注意を喚起している。

うつむき加減になり過ぎると、天辺（てっぺん）の穴の部分を射ぬかれる恐れがあった。なお、「しころ」は、顔や首を防御するために、兜の鉢の周りに垂らした部分である。

きっと、天辺の穴は、頭が蒸れないように換気の役目も兼ねていたはずである。

平安時代から鎌倉時代中期までの武士は、しっかりと髻（もとどり）を結い、烏帽子をかぶった上に兜をつけた。その際、髻と烏帽子を天辺の穴から外へ引き出す習慣があった。『平治物語絵詞』には、その様子が描かれている。

戦国・安土桃山時代頃から、四角い鉄板を打ち出して丸くし、頭のかたちに合わせた兜が作られるようになった。この製法によって防御力は増したが、頭蓋に鉄板が密着するので蒸れやすい。

飛び道具の主力が弓矢から鉄砲に代わったための改良だが、鉄砲の弾を防御するためとはいえ、完全密閉型では、頭が蒸れるのは当たり前です。どうして、後頭部に小さな換気用の穴をあけるなどの工夫をしなかったのでしょうか。

ともあれ、頭にああいう重たい物を載せるとのぼせるので月代（さかやき）を剃るようになった。

合戦に明け暮れた時代は、徳川家康の天下統一によってピリオドを打ち、泰平の世が到来した。こうして、武士階級に兜をかぶる機会がなくなると、無帽の風（ふう）が確立した。しかし無帽ではどうもさびしいので髷（まげ）を結うようになり、これが月代と結びついて江戸時代に特有のチョンマゲができあがった。

月代を剃るのは、最初は武士階級だけの風俗だったが、やがて農・工・商の階級にもチョンマゲが受け入れられた。

以上が通説だが、武士は兜をかぶるので、月代を剃る必要があったにしても、兜をかぶることのない庶民には必要のないことである。どうして庶民にも月代を剃る風習が広まったのか、はっきりしない。これについては、後世の研究を待つことにする。

約三百年の後、長い江戸幕府のチョンマゲ時代が終わり、日本は明治維新を迎えた。風俗にも大革新が起こった。

《散切り頭を叩いてみれば文明開化の音がする》という都都逸(どどいつ)がある。

散切(ざんぎ)り頭とは、髪毛をまとめる元結を結ばず、髪は左右に分けたままにしておく髪型で、明治初期に流行し、文明開化の象徴とされた。

発端は一八七一年(明治四)に発令された「散髪制服略服脱刀随意に任せ、礼服の節は帯刀せしむ」という斬髪令(散髪脱刀令)である。要するに、チョンマゲを切っても構わないというお達しが出た。

たまたま神戸にいた松本某という大阪商人は、この噂を聞いて夜中にこっそりと宿屋を抜け出して、オルゴニヤ号という長崎行の外国船に乗った。

ところが、夜が明けると他にも十人ほどの商人が乗っているではありませんか。みんな斬髪令を当て込んで、帽子を買いに長崎へ向かう連中というから驚いた。

そこで彼らは二組に分かれて買占めをすることに決め、長崎に着くと長崎市中のあらゆる帽子を二日間で買い占めた。後の船で、大勢の京阪の商人たちが買い付けにやってきたが、どうすることもできない。

荷物を大阪の店へ運び入れると、松本が長崎へ行ったと聞いた京都の商人が何十人と待ち構えていて、値段など聞かずに奪い合いする騒ぎであった。

この話で面白いのは、チョンマゲを切ることになったら、すぐに帽子が売れるだろうと商魂たくましい商人たちが判断したことです。無帽で通せばいいとはだれも思わなかった。

髷を落として長髪にすれば直射日光から頭を守ることができるのに、そんなことは考えないで、みんなが帽子に向かって殺到した。

私は、この話を知って、思わず膝をたたきました。

チョンマゲによって帽子をかぶらなくなった風俗に対する疑問が解けたのです。

月代（さかやき）を剃っていると、夏は直射日光を受けて暑いし、冬は寒くてしょうがない。それでも帽子をかぶらなかったのは、なぜか。

答えはさておき、

武士階級に月代を剃る風習が広がり、それが農・工・商のすべての階級へ広がっていったのだが、江戸時代には様々な形のチョンマゲが考えられた。

月代の広さの多少、髷（まげ）の大小・長短によって、数十種類の形があり、名付けられた名前は五〇種におよぶという。

幕末に渡来した西洋人が最初に驚いたのは、人々の頭に乗っているチョンマゲです。

その次に、誰も被(かぶ)り物を被っていないことを不思議がった。

髷の種類のいくつかを挙げると、

・銀杏髷(いちょうまげ)　束ねて頭の上に乗せた髷の先を銀杏の葉のように広げたもの。一番ポピュラーな髷で、武士、町人に好まれた。

・本多髷(ほんだまげ)　髷の長さを前七分、後ろ三分に分けて、髻(もとどり)を細く高く巻いたもの。芝居役者がこの髷で演技したことから大流行した。

・撥髷(ばちまげ)　三味線の撥のように先が広がっている髷

・丁髷(ちょんまげ)　いわゆるチョンマゲで、後頭部の髪を残して月代を広く剃り小さく仕立てた髷

このように色々な形の髷を結って、月代の上にのせた。

そうです、チョンマゲはいろいろな帽子の代わりだったのです。

角前髷（若衆髷）というのは前髪を垂らした成人前の髷であるが、元服すると前髪を切って祝った。この風習は、元服すると烏帽子をかぶせて祝ったという、かつての風習にそっくりである。

中世のころまでは、公家、武士、庶民を問わず、農民も建設現場で働く工匠や人夫も、みんなが何らかのかぶり物をかぶっていた。室内でも帽子をとらなかった。

行住坐臥（ぎょうじゅうざが）に、寝ても覚めても帽子を離さなかったというから、風習は実に徹底していた。

戦国時代になると、かぶり物をやめ、月代を剃ってチョンマゲを結った。つまり、チョンマゲはかぶり物の代わりだった。

帽子をかぶるという日本文化の伝統を捨てたわけではなかったのである。

そこで、斬髪令によってチョンマゲが消え失せたら、帽子をかぶることにしようと、全国民的に意見が一致した！

えーと、ここで断っておきますが、江戸時代のチョンマゲが帽子の代わりだというのは、未だ世間に知られていない新説です。手放しで信じないでください。

断髪令の翌年（明治五）、明治政府は和洋の礼服を洋服に変更した。同年に軍帽が制定され、すべての軍人は帽子をかぶった。こうして洋風化はいよいよ進み、都市にはマントに山高帽子といういでたちの者があらわれた。

当時の帽子は、イギリスからの輸入品でかなり高価なものだった。そこで、純国産化を目指して、渋沢栄一、益田孝らの財界知名諸氏が一八九〇年（明治二三）に東京ハットという会社を設立した。

ここで、注を差しはさみます。渋沢栄一は、日本の資本主義の父と称される人で、あらゆる産業分野の会社設立、経営に関与した。その数五〇〇社以上というからすごい。多方面の社会貢献事業、教育文化活動にも尽力した。そう、そう、福沢諭吉に代わって次の一万円札の「顔」になる人です。

帽子製造会社をつくって、腕のいいイギリスの帽子職人を引き抜いて技術指導に当らせたというから、帽子への国民的思い入れがうかがわれますねえ。日本を上得意先としていたイギリスは、この技術援助を外貨の稼ぎ先に塩を贈るようなものだといってカンカンにおこったらしい。

一八九二年（明治二五）頃から帽子の山の部分を折りこんだ中折れ帽子が出回った。若者は一人前になったと言って中折れ帽子をかぶって入隊した。二年間の兵役を終えて除隊すると、また新しい中折れ帽子を買って帰ったという。これは中世の成人が烏帽子をかぶったのに等しい儀式のようなもので、自分でおのれの成人を祝ったのである。

今までの話を整理すると、

烏帽子をかぶる→髷の前髪を切る→中折れ帽をかぶる

という成人（元服）儀式の歴史上の系譜ができる。

夏目漱石の『夢十夜』という短編集には、無帽の男を「この男は尻を端折（はしょ）って、帽子を被（かぶ）らずにいた。よほど無教育な男と見える。」と評する場面がある。

『吾輩は猫である』のネコのご主人が客人といっしょに散歩に出ようとする場面では、「（客が）駄弁を揮（ふる）っているうちに主人はもう帽子を被って沓脱（くつぬぎ）へ下りる。」という描写がある。ちょっとした外出の時も必ず帽子をかぶったものらしい。

明治時代の中ごろになると、成人した男が帽子をかぶらずにいるのは不自然であるほど、ほとんどの人が帽子をかぶっていたことがうかがえる。

大正時代の男性の帽子着用率は九〇%～九五%だったという統計がある。

一九二八年（昭和三）に行われた第一回普通選挙の開票結果を見ようとして、朝日新聞社の掲示版の前は、中折れ帽子をかぶった群衆で埋まった。

これほどまでに国民がこぞって帽子をかぶっていたのに、一九四五年（昭和二〇）の敗戦を契機にして無帽主義に変わってしまった。

帽子業界が東京の電車に乗っている人の着帽の数を調べたおもしろい統計がある。いずれも七月に調べたもので、人数は一〇〇人に対しての割合である。

昭和二〇年　七〇人、昭和二一年　二五人、

昭和二二年　一五人、昭和二三年　九人、

昭和二四年　一〇人、昭和二五年　二五人、

昭和二〇年までは、戦闘帽、国民帽、鉄兜、防空頭巾など、ほとんどの人が帽子をかぶっていた。しかし、終戦の翌年である昭和二一年からは、帽子をかぶっている人が極端に少なくなっている。

これほど帽子をかぶらなくなったのはなぜなのか。

坂本太郎という歴史学者は、著書『菅公と酒』の中の「帽子」という随筆で、太平洋戦争の敗戦を境にして、日本の男性が帽子をかぶらなくなったことについて論じている。

【注】書名の「菅公(かんこう)」とは菅原道真公(すがわらのみちざねこう)のこと。

「戦前から戦後にかけての風俗の移り変わりの中で、不思議でならないことが一つある。それは戦後の無帽主義の流行である。このことは戦前戦中の状態に比べると、驚くべき変化である。帽子は男子には無くてはならないものと考えていた。学校にはそれぞれの徽章をつけた学帽があり、大学を卒業して就職が決まると背広をあつらえ中折れ帽子を買う。帽子はヒトの人生についてまわり、離れることはなかったのである。」と、風俗の急激な変化に疑問を呈している。

そして、帽子をかぶらないようになったのは、「たしかに戦乱による生活の困窮が、各階層の人々の服装を簡略にさせ、かぶり物をととのえる余裕を失わせたことはあろう。しかし、もっと大きな原因は、階層の打破、権威の無視を標榜した時代の精神が、旧体制の象徴としてもっとも目につくかぶり物を嫌ったことにあるのではあるまいか。」と、遠慮がちに結論を述べてある。

終戦当時、三歳の私は、直接見聞きしたわけではないが、帽子に愛着を持ち続けていた日本人があんなに思い切りよく帽子をやめたのは——太平洋戦争中、男たちが愛着を持っていた中折れ帽子やパナマ帽子の着用を止められて、兵隊でもないのに戦闘帽、国民帽またはこれに類するものをかぶれと強制されたこと、敗戦の色が濃くなると空襲に備えて、防空頭巾までかぶらなければならなかったことに対する反動だろう。

つまり、日本人は「尽忠報国」とか「進め一億火の玉だ」とか「欲しがりません、勝つまでは」とか、庶民の本心とは裏腹な生き方を強いられた時代とおさらばするように、誠にあっさりと帽子を捨てたのである。

戦後の数年間は深刻な物資不足だったから、生活に直接必要な食料や衣料の工面に手がいっぱいで、どうでもよい帽子まで考える余裕などなかった。平時にふさわしい帽子を新調するゆとりがなかったということも、もちろんあるだろうが・・・。

先ほどの帽子業界の統計によると、敗戦のあとは、帽子をかぶる人が一〇％台に落ち込んでしまった。しかし、一九五〇年（昭和二五）には少し盛り返し二五％になっている。この年に朝鮮戦争が勃発し日本は特需景気に沸いた。青息吐息だった日本の産業は大きく息を吹き返した。

帽子をかぶる人の割合は、やや持ち直したものの、ある程度、生活が安定すると男たちは、働く上ではさほど便利な服ではないはずの背広に復帰してしまった。「復帰」というのは、戦争が始まる前、大正から昭和の初め頃にかけて、すでに背広がサラリーマンの制服として定着していたからである。

サラリーマンが画一的に背広に復帰しても、背広とセットであった中折れ帽子に復帰する人は少なかった。

この背景には、太平洋戦争後の世界的現象としての無帽主義が日本にも浸透していたこともあるだろう。

朝鮮戦争特需によって経済に弾みがついた。労働者の賃金は上昇し、購買力が増大したこともあって、景気の歯車はうまく回転し始めた。そして、一九五五年（昭和三〇）からは長い高度経済成長期に入り、一九五五年（昭和三一）には「もはや戦後ではない」という言葉が生まれた。しかし、男性たちが中折れ帽に復帰することはなかった。

それからまた歳月が経って、元号は、昭和、平成、令和と変わったが、世界的な無帽の風俗は今も根強い。誰も積極的に帽子をかぶろうとしない。

しかし、意外なことに、かなりの人が帽子をかぶっていることに気づいた。

帽子をかぶっている人は年配者が多い。さらに観察すると、帽子をかぶっている人のオツムはかなり薄いようである。つまり、彼らは、帽子によって頭部をカムフラージュできるという、実用的価値を最大限に活用している。

私は帽子が好きで、ハット、キャップ、縁なしのニット帽など二十数個の帽子を持っている。山や海に出かける機会が多いので、もっぱら直射日光を避けるため、雨天に備えるため、あるいは防寒のためのものです。

私がそういう事態にならない年齢のときには思ってもみなかったが、最近は別の目的でかぶることが多くなった。もう、ばれてしまったが、私の髪毛はますます細くなり、ちょっとの風でもふわふわと浮き上がる。オツムのてっぺんは乾燥地帯のサバンナのように不毛地帯が増えてきた。

帽子をかぶっている少数派の人たちの頭は、みんな禿げていると思われても困るなぁと嘆息し、この無帽（無謀）の考察を始めたのでした。

謎の多い山

鞍岳（くらだけ）**1118m**　在所：熊本県菊池市旭志麓
ツームシ山（ツームシやま）**1064m**　在所：熊本県菊池市旭志麓

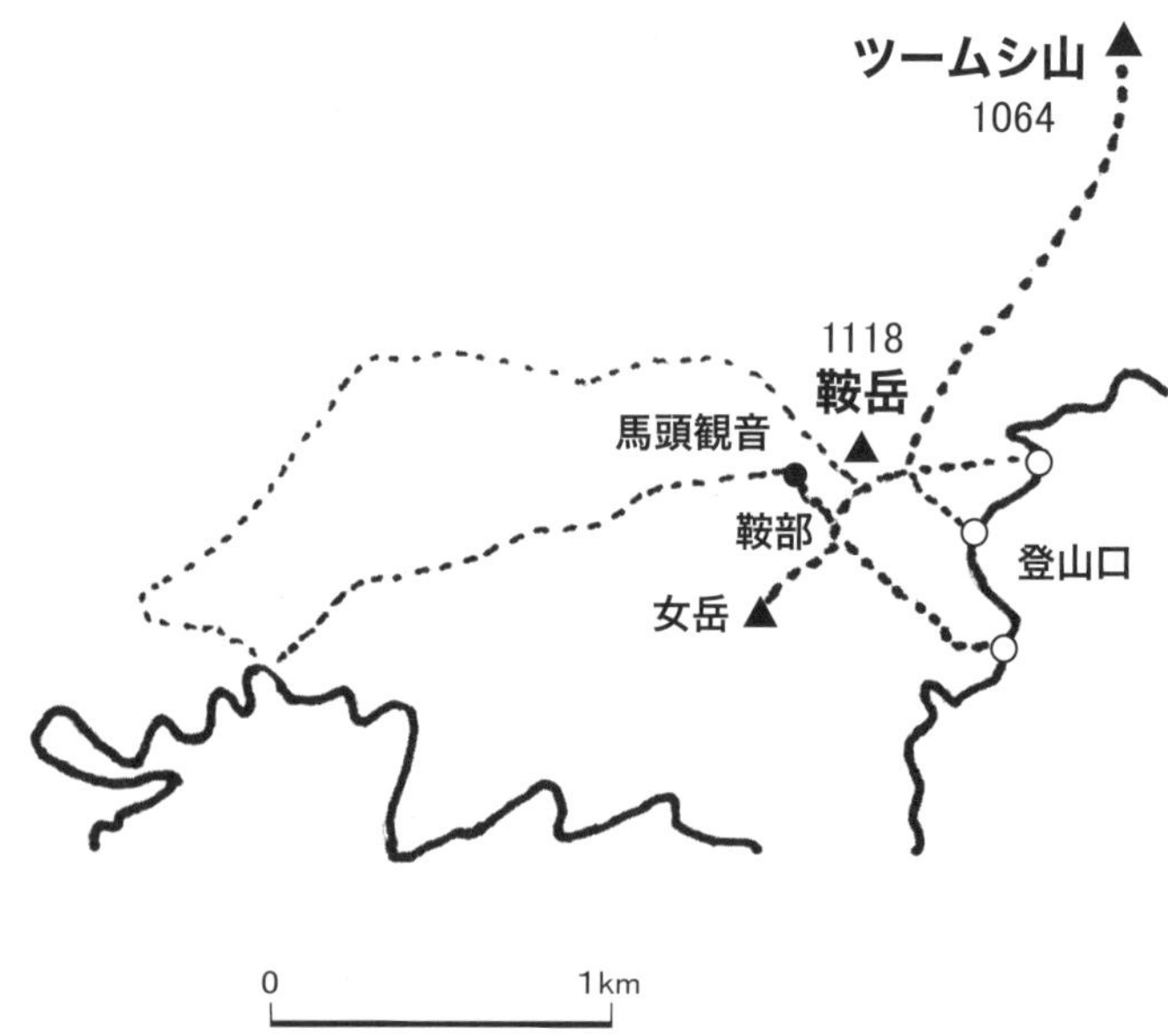

一、アセビの群落

春先の天候はめまぐるしく変化する。晴れる予報であった天気は一転して雨になった。しかし、明日には回復するという。登山は明日に延ばして、今日は白水温泉に浸り、宿でゆっくりすることにした。

宿のある熊本県阿蘇郡南阿蘇村は、長陽村、白水村、久木野村の三村が合併してできた。合併して「町」としての要件は満たしているが、「村」のイメージにこだわり、自治体名は「村」のままである。

山頂で飲む酒は、いつもテルが持参することにしているのだが、そのほかに、ヒロとトシは四合瓶を一本ずつ、サクは赤ワインを隠し持ってきた。今日は温泉に入ってチビリ、チビリと酒を飲むのだと、全員が同様の行動計画を頭に描いてしまった。登山を翌日に延ばすと、身体によくない行動計画書ができあがる。

一夜が明けた。出発前の天気予報では、天候はだんだん回復するという。目指す山は、阿蘇外輪山の西部にある鞍岳（一一一八ｍ）とツームシ山（一〇六四ｍ）だ。

「今日の登山は、散歩程度の軽いものだけど、鞍岳、ツームシ山とも謎の多い山だ。実際にその山を歩いて、解決の糸口が見つかればいいのだが」

と登山口へ向かう車の中で、ヒロが後部座席を振り返った。

「そのとおりだ。今日は、サクとテルにも二つの山のいわれを考えてもらいたい」

とカーブの多い道を慎重に運転しながらトシが付け加えた。

後部座席のサクとテルは、それどころではないよといわんばかりに顔を見合わせた。

昨日は、温泉に入った後に日本酒一本を飲み、夕食の時には馬刺(ばさ)しを食べながらビールと持参の赤ワインを飲んだ。

部屋に帰ると、日頃から午後八時には就寝するというヒロは、「あゝ、いい気持ちだ」と言って、早々に寝てしまった。トシも「もう十分だ」と自重するので、残りの日本酒一本は、仕方なく後部座席の二人が責任を持って処分したのである。

車は赤水温泉から二重(ふたえ)ノ峠を越えて、通称ミルクロードの荒涼とした的石原野を北上する。阿蘇牧場から鞍岳林道を登って行くと登山口である。

「着いたぞ」という声にサクとテルは目を覚ました。カーブの多い道路が揺り籠になり、いつの間にか眠っていた。

鞍岳とツームシ山を歩くコースは、散策する山にふさわしく、山頂までのコースがいくつもある。献立表の中から好みの料理を客が自由に選んで組み合わせるフランス料理のアラカルト（一品料理）を選ぶようで楽しい。

最初に鞍岳へ登り、ツームシ山をめぐって下山するのが一般的なルートだが、私たちは逆コースのメニューを選択した。

相変わらず、どんよりとした雲が空を覆っている。

小鳥の声を聞きたいので野鳥の森コースをたどる。しかし、なかなか杉林を抜け出さない。杉林の中に小鳥が棲むはずがないといぶかっていると、キッキキッキッと甲高い鳴き声が聞こえた。モズが縄張りを主張する警戒警報を発している。やがて、別の方向からツーツーピーと鳴きだした。少しのんびりと鼻にかかった声で鳴いているので、おそらくヤマガラであろう。同じような鳴き方をするシジュウカラは、もっとせわしげに鳴く。

小鳥はいずれも、杉林に隣接する雑木林で鳴いているらしい。野鳥の森コースは、雑木林の中を歩くように設計してもらいたいものだ。

杉林を抜けると通常ルートと合流した。鞍岳とツームシ山を結ぶ稜線には、ススキや低い潅木地帯が広がっている。登山道は、火山性の黒い泥土だ。

昨日の雨で道はぬかるんでいる。滑りやすい坂道を用心しながら登っていくと、だんだん坂が急になった。昨日の不摂生による体調不良で思ったように脚が上がらない。振り返ると、サクも苦労しているらしく息を切らしている。

周りは草地が多くなり、ガスの中に薄ぼんやりと頂上らしきものが見えた。ツームシ山の山頂には、三角点と山頂の標識があるほかは、草原の丘のようで、山の頂上らしくない。

西北からの風が強い。思わず、帽子を目深にかぶりなおした。立ち込めているガスは少しずつ晴れてきているようだが、展望はできない。一キロほど先の鞍岳すら見えない。天気がよければ、山頂からの丘陵地帯の向こうに端辺(はたべ)原野が広がり、眼下には阿蘇町の街が見えるはずだ。東の方角にある阿蘇五岳も、全ては霧にけむっている。

ウグイスが鳴いた。まだ練習中らしく、たどたどしい。草木が萌えだして明らかに春が来ているのに風は冷たい。

テルは、巨大な阿蘇カルデラの方角を向いて、晴れた日の景色を思い描いた。もし晴れていたら、東西一八キロ、南北二五キロ、周囲一二八キロという途方もなく大きい阿蘇カルデラ（火山性凹地）が見えるはずだ。

じっとしていると急激に体が冷えてきた。ツームシ山の由来について考えるのは後回しにして、鞍岳へ向かう。

ツームシ山から鞍岳までは約二キロの行程である。途中には、あちらこちらにアセビの群落がある。春には白い花でいっぱいの幻想的な景色が見られるはずだ。花の時期には十日ほど早く、おおかたのアセビの花はつぼみであった。しかし、日当たりのよい所の花がほころび、ローソクのような光沢のある白い花が開いている。赤みのある新芽についたつぼみは、萼（ガク）の部分がピンク色をしていて、その風情も美しい。

『万葉集』の巻第十に次の歌がある。

　我が背子に我が恋うらくは奥山の馬酔木の花の今盛りなり

アセビ（アシビ）は、奈良時代の人気の花であった。

『万葉集』にあやかって、テルが一首詠んだ。

　手折りたる馬酔木たづさへ君を待つあつけらかんな万葉人を

アセビはツツジ科の植物で、高さ一・五メートルから三メートルほどのこんもりとした樹木である。群落をつくりやすく、阿蘇の外輪山一帯はアセビの自生地が多い。その中で、ツームシ山から鞍岳にかけてのアセビの群落は一、二を争うほど広い。

群生したアセビがいっせいに白い花をつけると、あたり一面に雪が積もったような景色になる。春だというのにその一帯だけは北国の風景なのだ。

ツームシ山の由来について、何かを見出そうとするサクとテルの頭の中には、あるイメージが出来上がりつつあった。

ガスが消えてきた。予報どおり天気は回復している。今までぼんやりとしていた正面の鞍岳が競りあがるように見えてきた。

鞍岳からツームシ山へ向かうパーティーと出会う。その後からは、十人ほどの団体がやってきた。いずれも圧倒的に女性が多い。

弾みをつけて坂をくだって来た彼女たちは、「こんにちは」の挨拶も元気がいい。私たちは、挨拶を返して道を譲り、丸太の階段をゆっくりと登った。

二、坂上田村麻呂と最澄の伝説

鞍岳山頂へ登るのを後回しにして、鞍岳観音堂へ向かう。頂上への分岐点を通り過ぎたら、地形は一変して急斜面になった。山頂を巻くように細い道を降りていくと、鞍岳観音堂がある。

鞍岳についての謎解きの手がかりが観音堂にあるらしい。

観音堂はレンガ造りの建物であった。お堂の横の標識には、「合志三十三箇所巡り一番札所」「鞍嶽山観音寺」と表示されている。神社ではないはずだが、注連縄(しめなわ)が張ってある。正面右手の屋根はひさしの部分が痛んでいて、堂内入り口の扉はなく、吹きさらしだ。コンクリートで塗り固めた室内の正面には青色の幕を張り、石造りの観音像が祀られている。生花と酪農組合からの清酒が供えられ、祭壇の右手には木魚と般若心経の経文が置いてある。

祀ってある仏は馬頭(ばとう)観音であるから、目尻をつり上げ、怒りをみなぎらせた忿怒(ふんぬ)の顔をして、頭上に馬の頭を乗せている像だと思っていたが、観音像は柔和な顔立ちで、馬頭は乗せていない。右手に宝塔（仏舎利を納めた器）、左手に蓮の花を持っているので、ますます何の観音像なのかわからない。

三月一八日は、馬頭観音の祭日のはずである。奇しくも今日は一九日なのだが、前日にお祭りがあった様子がない。仏教の観音堂に注連縄（しめなわ）を張ってあるのは神仏混淆（しんぶつこんこう）の表れだろうが、新しい注連縄に張り替えていないのはどうしたことか。祭りはすたれてしまったのであろうか。

鞍岳と観音堂に関する菊池市旭志（旧熊本県旭志村）商工会の資料によると、八〇六年（大同一）に坂上田村麻呂（さかのうえのたむらまろ）（七五八～八一一）が筑後の国に清水寺を建立したとき、霊夢のなかで「肥後国合志郡の丑寅の方角に霊山あり。そこは昔から我の有縁の地なり。この山にも寺を建立すべし」というお告げがあった。

坂上田村麻呂がその山へ行ったところ、山の姿が馬の鞍に似ていることから、鞍嶽山と名づけた。その鞍嶽山が、いま私たちがいる鞍岳である。また彼は、「一切衆生の為に急ぎ建立あるべし」として、御堂を建てて石像の不動毘沙門天を安置した。

坂上田村麻呂が建立したとされる筑後の国の清水寺は、福岡県みやま市瀬高町にある本吉山清水寺である。この寺の縁起によると、伝教大師（最澄）が唐から帰国の途中、有明海の東の山に黄金色に光る霊気を見た。一羽のキジに導かれて清水山へ分け入ると、大きな合歓の木が立っていた。その木で千手観音を刻み、翌年（八〇六年）に清水寺を建てて安置した。

鞍岳の名付け親は坂上田村麻呂らしいのだが、清水寺の開祖は、田村麻呂と最澄の二人いることになり、混同している。

観音堂へ来て謎が解けるどころか、逆に深まるばかりだ。謎を整理すると、

①奥州の蝦夷征討の征夷大将軍である坂上田村麻呂の伝説が、なぜ阿蘇地方にあるのか。

②坂上田村麻呂が八〇六年（大同一）に鞍岳へ来たという年代に疑問がある。

③この観音堂には、牛馬の神様である馬頭観音が祀られているはずであるが、祀られている石像は、馬頭観音らしくない。

陽ざしがもれてきた。急斜面の崖と雑木林が風を防いでくれているので寒さを感じない。一同は観音堂の前で車座になった。

「田村麻呂は蝦夷征討に行った武人だよね。七九七年には、総大将である征夷大将軍に

任じられた。その田村麻呂が九州の阿蘇に来たというのはあまりにも、唐突ではないか」

　とテルが話を切りだした。

「田村麻呂は伝説の多い人物だ。奥州から九州へ飛んできても不思議ではなかろう」

　まだ昨夜の酒が影響しているのか、サクは面倒くさそうに話を打ち切ろうとした。

「まず、①の疑問から考えてみよう。鞍岳の名付け親は坂上田村麻呂であるから、蝦夷征討のことを知る必要がある」

　とトシは、サクをなだめるように話しだした。

　蝦夷地攻略は光仁天皇の時代に始まったのだが、陸奥(むつ)の国の地形や情勢が不明な土地での戦いは苦戦を強いられた。光仁天皇の後を引き継いで桓武天皇が試みた大規模の第一次遠征は、蝦夷軍の頑強な反撃にあって征討軍の完敗に終わった。

　完敗に懲(こ)りず、桓武天皇は第二次の征討計画を断行し、副将軍として坂上田村麻呂を起用した。田村麻呂は、桓武天皇の期待に応え、目覚しい働きをして陸奥の南部を平定した。その後も現地にとどまった田村麻呂は、七九七年（延暦一六）に初代征夷大将軍に任命されて、東北地方一帯の軍事・行政権の一切を任された。

八〇一年（延暦二〇）に第三次征討が開始され、田村麻呂は四万の兵を率いて、岩手県東北部まで進撃した。

降伏した者を朝廷の民として味方につけ、服従させることも重要な課題であった。

降伏した蝦夷軍と領民が大和朝廷の支配下に入り、一般農民の生活に同化した者を俘囚（ふしゅう）と称した。服従しない者に対しては徹底して攻撃を仕掛け、東北の奥地へ奥地へと追い詰めた。

蝦夷征討の最大の目的は、朝廷の領土の拡大であったろう。言い替えれば耕地の獲得ともいえる。奪い取った土地は、蝦夷という異国の民を「大和の民」として耕作させなければならない。

大和の民と異なる考え方、風習、宗教心を持つ民族に、大和の民としての意識を植えつけようとする朝廷は仏教をもって対処した。桓武天皇に覚えのよい最澄の属する比叡山延暦寺の天台宗がその役目を果たしたのである。

蝦夷平定事業に血道をあげる桓武天皇、それに応えようとする坂上田村麻呂と最澄、この三者によって東北地方に天台宗仏教が浸透していった。

田村麻呂は戦功によって昇進し、八〇七年（大同二）には、侍従と兵部卿（ひょうぶきょう）を兼ねる右近衛大将（うこのえのたいしょう）になった。田村麻呂が五〇歳の年である。

八一〇年（弘仁一）には大納言に昇進した。天皇の側周（そばまわ）りの要職である侍従として、都にとどまらなければならない役目に就くことになるのだが、それまでは、徹底して奥羽にこだわった人である。

東北地方には田村麻呂の創建と伝えられる寺社が多数分布している。そのほとんどの寺の言い伝えは、仏や観音の加護によって蝦夷征討や鬼退治ができたことに田村麻呂が感謝して建立したというものである。寺院の権威を高めるために、田村麻呂の強い将軍のイメージを借りたものと思われる。

「蝦夷」の「大和」化を進めるに当たって、「豪と柔」の両面作戦をとったことがうかがわれる。

「蝦夷征討で重要な役割をした坂上田村麻呂も最澄も伝説の多い人物だ。筑後の国の清水寺の開祖に混同が生じても仕方があるまい」

と言って、トシは蝦夷征討の話を締めくくった。

「しかし、これだけでは田村麻呂の伝説が阿蘇地方にあるという説明として十分とはいえないいな」

興味がでてきたサクが突っ込みを入れた。

ヒロがそれに答えた。

「その解決のカギは荘園だ。『肥後国誌』によれば、平安時代の合志郡（現在の熊本県合志市一帯）は比叡山延暦寺の荘園であった。比叡山延暦寺↓最澄↓田村麻呂と辿っていけば、坂上田村麻呂が九州の阿蘇地方へやってきたとしても話としては唐突ではない。しかも、鞍岳は合志郡の東に見える山だ。田村麻呂と鞍岳を結びつけることに違和感はなかっただろうよ」

ヒロはさらに続けて、京都の清水寺について付け加えた。

「京都の清水寺は、『清水寺縁起』によると、田村麻呂が帰依していた延鎮という僧が、七八〇年（宝亀一一）に創建した。八〇五年（延暦二四）に田村麻呂は、清水寺へ寺地を喜捨することを桓武天皇に奏請している。一方、『扶桑略記（ふそうりゃくき）』によると、八〇五年に清水寺を田村麻呂の私寺とすることを認める太政官府が発布されたとある。二つの記録をゆるやかに重ねると、朝廷から賜った清水の土地の一部を清水寺に寄進したとも推量できる。福岡県みやま市瀬高町の清水寺の縁起は、この事実と符合させたのだ」

「いゃー、壮大な理論構成だね」

テルは大げさな身振りで驚いて、後へひっくり返った。

「ずいぶん時間がかかったが、①の疑問については、ほぼ解決できたと思う。次は、②の田村麻呂が鞍岳へやってきたとされる八〇六年（大同一）についての疑問に移ろう」

いつの間にか、テルは進行係を務めている。

「よーし、もう一丁ブッぞー」

ヒロは「壮大な理論構成」という評価に気をよくして、先を続けた。

「田村麻呂が八〇六年に鞍岳へやってきたという伝説には無理がある。田村麻呂は、八〇六年に中納言になったが、陸奥・出羽の国の名誉的な行政長官・軍事長官としての兼務を朝廷に願い出て、認められている。つまり、都に居ながらも東北地方に熱い思いを抱きつづけており、九州への関心はまったくなかった」

八〇六年にこだわらなければならない訳は、最澄伝説のためだ。

伝説は、《伝教大師（最澄）が唐から帰国の途中、有明海の東の山に黄金色に光る霊気を見た。》としているので、その時は、最澄が帰国した八〇五年でなければならない。これは、史実として動かせない。その翌年の八〇六年に福岡県みやま市瀬高町の清水寺は建立されたとされている。

田村麻呂が京都の清水寺を菩提寺とした時期と瀬高町に清水寺という名前の寺院が創設された時期が、最澄が帰国した翌年と偶然に合致した。それが八〇六年（大同一）だ。田村麻呂が九州に赴く可能性は薄いとはいえ、田村麻呂と最澄を二点セットにした話を作り上げるためには、多少の無理はしょうがなかった。

古刹ほど戦火に巻き込まれることが多い。瀬高町の清水寺もたびたび戦禍に遭っている。最初は一一八五年（寿永四）の源平争乱の折に豊後の緒方三郎維義が火を放った。次いで、一五八一年（天正九）には、肥前の豪族・龍造寺隆信が焼き払った。現在の寺は、一五九〇年（天正一八）に再建されたものである。本尊の千手観音も昭和の終り頃に復元した。このような事情で寺の創設時期を確定することは難しいことが多い。

田村麻呂を主人公とする九州の寺の伝承は、ほとんどが後世の付託であろう。

「ウーン、よくできている。説話というものは、いわば話に箔をつけるために、時代の英雄の威光を持ち出すことが多いからな。おまけに、証拠隠滅をしたわけではないが、龍造寺隆信が寺を焼き払って、創建当時の正確な事実は分らない」

とサクは、意味ありげな表情をして胡散臭さを飲み込むように、ペットボトルのお茶をうまそうに飲んだ。

三、馬頭観音像

「最後に、③の馬頭観音の疑問をといてもらおう」

とテルがトシに催促した。

「これも、大胆な推論になるかもしれない。まず、あまりなじみのない馬頭観音がどのような観音さまであるか、ということから始めよう」

そんなに焦ることはないという目でテルを見返して、トシはゆったりと胡坐（あぐら）を組みなおしてつづけた。

「馬頭観音は観音菩薩の一つで、馬が周囲の草をむさぼり食うように、人間の一切の悪や煩悩を食べつくして人々を救済する菩薩とされている。一般的な菩薩さまは優しいお顔をされているが、馬頭観音は悪を滅ぼす仏にふさわしい忿怒（ふんぬ）の表情をしている。それは、馬頭観音がインド神話の最高神の一人であるビシュヌが馬に化身して、悪魔に奪われた仏典を取り戻したという伝説を起源としているからだ。仏像の頭に置かれた馬頭はビシュヌ神の化身である。胸の前で合掌した印相は、馬口印（まこういん）といって、親指、中指、小指を立て、人差し指、薬指を曲げて両手を合わせるという特殊なものだ」

馬頭観音像は、三面四臂（さんめんよんぴ）（三つの顔と四本の腕）の姿が一般的で、顔と腕の数には様々な種類の像がある。腕には武器が握られている。菩薩とは言い得ない憤怒の形相と、武器を手にしていることから、明王（みょうおう）の仲間として馬頭明王と呼ばれることもある。

馬頭を頭に頂いた観音像の姿から、馬と共に生活する人々の中に、家族同様である馬の無病息災を祈る民間信仰が生まれた。それが、牛馬の安全、旅の安全、海路安全の観音さまとして信仰が広がっていった。

ところで、鞍岳伝説によると、田村麻呂が鞍岳山中に御堂を建てて安置した石像は不動毘沙門天（びしゃもんてん）とされており、馬頭観音ではない。

毘沙門天は、四天王の一人である多聞天の別名で、多聞天を単独で安置する場合は毘沙門天という。四天王は、仏教世界の守護神として東西南北の四方を守る神である。

田村麻呂を毘沙門天の化身として東北地方には毘沙門天像がある寺が多いことから、鞍岳伝説でも、最初は毘沙門天を安置したと言い伝えられていたのであろう。

鞍岳伝説によれば、獅子洞某が馬術習得を願って、観音堂へお百度詣を行い、念願がかなったときに《わが駒の鞍岳の山にいそがばや　三十三所の法のはじめに》という和歌を詠んだ。これ以来、牛馬の守り神として広く信仰されるようになったという。

もともと牧畜が盛んな阿蘇地方に合志三十三箇所めぐりの信仰が始まり、俗に勝負事の神とされる毘沙門天が、忿怒の形相をした牛馬の守り神としての馬頭観音に変わっていったと思われる。

かつて、鞍岳観音堂の里寺である円満寺（熊本県菊池郡大津町矢護川）で開催される毎年三月一八日の馬頭観音祭には、熊本県内外から人馬の行列があり、境内は多くの人々で身動きが取れないほど賑わったということである。

また、鞍岳の観音さまは歴代の菊池氏にも深く信仰され、天正年間（一五七三～九一）には小原の領主稗田弾正重実が眼病を患ったとき、観音堂に七日間こもって十八灯明をともして祈ったところ、見事に完治したという伝承がある。

馬頭観音は、一面二臂（ひ）（一つの顔と二本の腕、つまり人間と同じ姿）の場合は、やさしい顔をした像が多い。現在の石仏がいつごろ製作されたものか分からないが、少なくとも一六世紀には、薬師観音に似た顔をしていたであろう。

「つまり、鞍岳に最初に安置されたのは毘沙門天であった。それが、忿怒の表情を持った馬頭観音に変わり、さらにお顔が優しい現在の観音さまになった。これで、鞍岳伝説は終りだ」

トシは、語り終わって大きく背伸びをした。

四、ツームシ山の由来

鞍岳の由来がほぼ決着したので、観音堂を発ち山頂へと登っていった。

頂上には、五人組と二人組のパーティーがいた。風は相変わらず北から吹いている。二人組の男たちは、岩陰に座って寒そうに弁当を食べていた。鞍岳は見晴らしのよい山で、天気のよい日は大分県の九重連山、長崎県の雲仙岳を見ることができる。

六〇歳がらみの男性が登ってきた。男は、マンサクの花を見ながら登ってきたという。北側の谷を登ってきたのだ。彼が指差す方角を見ると、確かに黄色い花をつけた木々が見える。

阿蘇カルデラの雄大な景色が少しは見えるほどにガスが晴れてきた。山頂での写真を撮って、リュックを担ごうとすると、単独行の男が、「もう行くのか」と、まだ話をしたそうに言った。山へ一人で登る者は、孤独を好む人ではなく、人恋しい人なのである。

鞍岳は馬の鞍に似ていることから名づけられた山で、鞍部（鞍のへこんだ部分）を隔てて二つのピークがある。今、われわれが立っているのが一番高い男岳（一一一八m）、もう一つのピークが女岳（一〇九〇m）である。男岳から女岳までは目と鼻の距離であり、ゆっくりと十数分歩けばよい。アセビの群生する鞍部へ下って緩やかな坂を登ると、もうそこが女岳である。

女岳は台地のようにだだっ広い草原で気持ちがよい。しかし、山頂のロボット雨量計と電波反射板は、大自然の風景に不似合いで無粋である。西側の丘のベンチに腰掛けて、しばらく眼下に広がる展望を楽しんだ。

阿蘇五岳がうっすらと姿を現してきた。阿蘇山へ少しでも近づこうと東側の丘へ移る。丘の突端の小さな岩に登って、横たわる釈迦の涅槃像に似た姿の阿蘇五岳の連なりと、その空間に広がる雄大な大地の広がりを眺めた。

阿蘇五岳の涅槃像は、根子岳が顔、胸のふくらみの最高点が高岳、腰の部分が中岳、脚の部分は烏帽子岳と杵島岳である。いずれも、かつて登ったことのある親しい山だ。

風を避けるため女岳山頂から少し下り、アセビの群落に陣取って、食事の準備にかかった。鞍部の辺りでは、五、六人の女性グループが食事をしている。酒の肴に目刺とシ

シャモを焼いていたら、一組の夫婦が通りかかった。

「おいしそうな匂いがするので」

と奥さんが笑いながら近寄ってきた。こんなときに、女性は人見知りをしない。

「あらー、コンロや石綿つきの焼き網まで用意してある。ねえ、あなた、私たちもこんな道具を準備しましょうよ」

と振り返って同意を求めるが、旦那はバツの悪そうな顔をして道に立ったまま近づいてこようとしない。

「お一つどうぞ。長崎県産の目刺ですよ。旦那さんにもあげてください」

とサクは奥さんの手のひらに数匹の目

刺を乗せた。接待係のサクは、県産品の売込みにもそつがない。どこへ行っても、目刺を焼く匂いは、人を寄せ付ける強力な力を持っている。

佐世保の地酒・梅ヶ枝を人肌程度に温めて、目刺とシシャモを片手に乾杯する。

食事をしながら、一同はツームシ山の由来を話題にした。

「それはね、ツームシ山の標高からついた名前さ」

標高一〇六四メートルだから、トー・ムシ山が訛(なま)ってツームシ山になったとするのが、トシ説。

「花多ければ、虫多しだ。虫に刺されて痛い思いをした人が付けたのさ」

虫に刺されて痛い。痛（ツー）・虫（ムシ）山とするのが、ヒロ説。

「夏から秋にかけて、この山には、たくさんのマツムシソウが咲く。そこで、マツムシが訛って、ツームシとなったというのはどうだ」

とテルが駄洒落説を追加した。

「あきれたね。今に、虫が二匹いたから、ツームシといいだすんじゃないか」

とサクは噴き出してしまった。

鞍岳について、力のこもった推論をぶち上げたヒロとトシは、お酒が入ってホッとしたのか、気持ちが緩んでいる。

「しかし、駄洒落も語呂合わせも、まったく見当違いではない」

とうまそうに酒を一口飲んだサクは、シシャモをみんなに見せながら

「ツームシ山という名前は、アイヌ語だよ。このシシャモ（susam）だってアイヌ語だ。シシャモが柳の葉（susan-hasumu）に似ていることからついた名前さ」

「どうして、ツームシ山がアイヌ語と言えるのかい？」

あっけにとられた顔をしたヒロの問いに答えず、

「ツームシ山、オケラ山、ナメリ川など、この一帯だけにカタカナ表示の山や川の名前があるのはどういう訳だ？」

と逆に問い返したが、答えが帰ってこない。

「それは、名前の発音が漢字にしにくかったからだ」

とサクは、自分で答えを出した。

(1) 肥後のアイヌ人

「ツームシ山がアイヌ語だというからには、かつて、アイヌ民族が阿蘇地方に住んで

いたことになるが、その可能性は、皆無ではないと思う」とテルが話に加わってきた。

アセビの花が咲くとツームシ山から鞍岳へ向かう道筋は半透明の白いアセビの花が雪をかぶった樹木のように見えて、北国に迷い込んだかと錯覚する。

テルは、ツームシ山を歩いていたときから、アイヌを連想していたらしく、次のような説を披露した。

ツームシ山がアイヌ語だと思う理由は、次の三点からである。

①「ツームシ山」が漢字で表記されていないのは、当時の大和民族が発音しない異国の語音であったからである。

②律令制度の時代に蝦夷の人民を強制的に移住させた事実がある。

③阿蘇地方は過疎地であった。

アイヌ民族が住んでいた北海道をはじめ東北地方には、アイヌ語の地名が多く残っているのは当然として、アイヌ語の地名がある地域は、関東付近まで南下している。蝦夷征討が行われる以前は、北海道と東北地方は蝦夷の領域であり、関東地方付近は、大和民族と蝦夷民族が入り混じって住んでいた。

大和朝廷は、肥沃な土地である関東地方を制し、東北へと勢力範囲を拡大していった。このため、土着の民族との衝突が相次いで起こり、七〇九年（和銅二）には、反抗する陸奥・越後の蝦夷を討つため、朝廷は陸奥鎮東将軍巨勢麻呂（こせのまろ）を差し向けた。七二〇年（霊亀四）にも陸奥の蝦夷が反乱を起こした。

坂上田村麻呂が蝦夷を征討したときからさかのぼること約一世紀前から、蝦夷との戦いは始まっていた。田村麻呂の時代以降も蝦夷の抵抗は断続的に続き、八七八年（元慶二）に出羽国（秋田県）の蝦夷・俘囚（ふしゅう）の反乱、八八三年（元慶七）には下総国（しもふさのくに）（千葉県）の俘囚の反乱の記録が残っている。

戦いに敗れて捕虜となった者、中央政府に投降、服従したものを俘囚（ふしゅう）といった。俘囚たちは、中央政府から脱蝦夷を強要されて、「日本人」化を余儀なくされた。

七二五年（神亀二）に「陸奥国の俘囚百十四人を伊予国に配し、五百七十八人を筑紫に配し、十五人を和泉監（いずみのげん）（大阪府和泉市周辺）に配す。」という記述が『続日本紀』にある。

その後の俘囚に関する記述を拾うと、

七三八年（天平一〇）　陸奥の俘囚百十五人を摂津職に送る。俘囚六十二人が筑後国に居住している。

七七六年（宝亀七）　陸奥の俘囚三百九十五人を大宰府管内諸国に配す。

出羽国の俘囚三百五十八人を大宰府管内諸国および讃岐国に配す。

俘囚大伴部の妻子・親族六十六人日向国に配す。

七九五年（延暦一四）

などの記述がある。

強制移住の全体規模は不明だが、ざっと記録を拾っただけでも約二千人になる。おそらく、数万人以上の者が三五カ国に分散移住させられた。

一方、朝廷は、各地の一般農民や浮浪人（租税に耐えられず、国を逃げ出して他の国にもぐりこんでいる者）たちを一回当たり二千、三千人規模で、蝦夷との最前線基地に送り込んだ。多い時には九千人もの人民が送られたこともある。移住させられた浮浪人は、前線の砦づくり、防柵づくり、荷役、兵士の任務を負った。

組織的な住民の入れ替えが古代におこなわれたのである。

八一一年（弘仁二）、朝廷は諸国に俘囚の計帳を提出させている。人数を把握できないほどの俘囚が全国へ散らばり、その実態を報告させていることからして、十数万人の移動があったと見てもよいのではないか。

人民を戸籍に登録し、そこを本籍として耕作する田畑（口分田）を与える。人民を土地に縛り付けて、田畑の収穫物を納めさせ、国の工事などの労役に従事させることが公地公民制の基本であり、国家を支える基本であった。国家の財政は人頭税でまかなわれていたのである。

国家への税金や、労役から逃れるために、土地を捨てて逃亡する人民が激増したこともあって、光仁天皇、桓武天皇の時代に律令制度の根本である公地公民制の矛盾が一挙に表面化した。

七八〇年（宝亀一一）頃の国司の成績審査（勤務評定）基準の第一は、「人民をいつくしみ育てることによって、税の対象となる人口が増えること」としている。ただし、人口の自然増加は対象にならず、次の場合に限っている。

①蝦夷などの、まだ公民となっていない者（俘囚）を招き寄せること
②戸籍に記帳されていない者（浮浪人）を見つけ出し、役人が摘発すること
③記載漏れの農民が名乗り出ること
④浮浪人が過ちを悔いて帰ってくること

③、④は「人民をいつくしみ育てること」に該当するのであろう。着目するのは、①の「俘囚を招き寄せること（受け入れること）」が人頭税増加政策として盛り込まれてい

ることである。

俘囚は、入植させられた国で、主に局部的な軍事、警護集団として働いたというが、開拓農民として荒地に入植させられた者も多数あったと思われる。俘囚として入植させられた者が浮浪人になった者もいたであろう。

浮浪人とよばれる逃亡者たちは王臣家や寺社の荘園、農村の新興有力者の土地へ逃げ込んだ。八世紀末ごろになると、「富豪の輩（やから）」と呼ばれた農村の新しい有力者が全国に見られるようになった。浮浪人が逃げ込む先はいくらでもあったのである。

筑紫、太宰府に送られてきた俘囚は、大宰府政庁が九州各地に割り振った。

七一三年（和銅六）に朝廷が諸国に編纂（へんさん）を命じた『風土記』のうち、『肥後国風土記』には、次のような記述がある。

景行天皇が玉名の郡（こおり）の長洲の浜を出発して阿蘇の郡に到着し、あたりを歩き回って四方を見回したが、原野が荒涼として誰一人として人が住んでいなかった。天皇は「この国には人がいないのだろうか」と嘆いた。

すると、二柱の神様が現れて、人の姿になって言った。「吾らは、この国に住む二柱の神で、阿蘇都彦（あそつひこ）と阿蘇都媛（あそつひめ）である。どうして人がいないといえようか」と言って、たちまち消えてしまった。よって、阿蘇の郡と名づけた。

この記述から推測すると、原野ばかりで過疎地であった阿蘇地方は開拓が進んでいなかった。

肥後の国は、開拓農民として積極的に俘囚、つまりアイヌ系の人々を受け入れたと考えられないか。

開拓農民として連れてこられたアイヌの俘囚たちは、不毛の地を開墾しながら、ひたすら故郷を思って暮らした。山や川には、自分たちの言葉で、名前をつけた。

「歴史書に記載のないところを埋めると、このような説も成り立つであろう」

とテルは締めくくった。

「あて推量でも、テルが言い出すと真実味を帯びてくるから不思議だ」

トシは、ポンとひざを叩いて喜んだ。

(2) ツームシはアイヌ語

「断片的であるが、『ツームシ山』の語源を調べる目的で、アイヌ語を手探りで調べてみよう」

とテルが地ならししてくれた後をサクが引き継いだ。

「北海道の地名にはアイヌ語がたくさん残っている。たとえば、『シリ（sir/siri）』は『土地、山、島』などの意味をもつ。利尻（リシリ）、網走（アバシリ）、奥尻（オクシリ）などの北海道の地名は、アイヌ語に漢字を当てたものだ」

「ところで、言葉は訛（なま）って変化しやすい。先ほどトシは、トームシが訛ってツームシになったといったが、これは言葉が通音（つうおん）で変化したといえる。この山に群生しているアセビも、昔はアシビと言っていた」

通音は、五十音図のうち同行の音が相通じて変化することである。

たとえば、「歩く」は「ありく」と発音していたが、現在は「あるく」と発音する。

これは「らりるれろ」のラ行で、「り」から「る」の音へ変化した例だ。

五十音図のうち、同段の音が相通じて変化することを、通韻（つういん）という。

「煙」は「けぶり」と発音していたが、現在は「けむり」と言う。これは、ハ行「はひふへほ」の三段目のフが、マ行「まみむめも」の三段目ムの音へ変化した例だ。

「ツームシ」は「チノミシリ」が訛ったと考えられる。

チノミシリ　↓　ツームシ

「チ」は、同行通音で変化して「ツ」と発音するようになった。同様に、「ミ」は「ム」に変化した。ツ（thu）のように母音が「u」のときは、発音しやすいように「ツー」と伸びることが多い。

最後の音である「リ」は自然に発音しなくなった。これは、「ウナギ丼」を「ウナドン」と縮めて言うことを思えば、簡単に理解できる。

ところで、チノミシリの「チ（ci）」は「私たち」、「ノミ」は「祈る」の意味である。すでに話したとおり、「シリ」は、山の意味だから、『チノミシリ』は「我らの礼拝する山、または我らの神なる山」という意味になる。つまり、ツームシ山は「我らの礼拝する神の山」なのだ。

「北海道の地図を見ていたら、もう一つ、ツームシ山の名前の由来をみつけた」

とサクは話をつづけた。三人は、言語学の授業を受ける生徒のように神妙な顔をしている。

北海道を南北に分ける脊梁の山脈にはアイヌ語の山の名前が多い。たとえば襟裳岬（えりもみさき）から北へ伸びる日高山脈にはウチカウシ山（一三四一ｍ）、トムラウシ山（一四七七ｍ）、石狩山地のトムラウシ山（二一四一ｍ）、北見山地のチトカニウシ山（一四四六ｍ）、ウエンシリ岳（一一四二m）、ピアシリ山（九八七m）、シアッシリ山（九〇三m）など、語尾がウシやシリで終わる山がいくつもある。

「ウシ（ushi）」は、「多い、～する所、～につく、～にはえる、湾」などの意味がある。地名、山川の名前での例は、セタウシ（狼が多い）、モセウシ（オオイバライラクサの多い）、トンラウシ（水垢の多い）、チツカンウシ（われらが射る所）、ウシクツカウシ（樺の皮をとる所）などがある。

大雪山系の山々に次ぐ高い山で、石狩山地にそびえるトムラウシ山（二一四一m）に焦点を当ててみよう。

トムラウシとは、アイヌ語で「花の多いところ」、「水垢の多いところ」、「トンラ・ウシ＝（温泉鉱物のために）水がぬるぬるしている。川の中の水垢ですべる」という意味である。

大雪山国立公園の中にあるトムラウシ山は、雄大な大自然と、チングルマ、コマクサなどの高山植物が群生する。台地には広大な草原がある。一帯には温泉が多い。

我らがツームシ山もいろいろな花が咲く。春はマンサク、アセビ、ミヤマキリシマ、夏は白い花のカワラナデシコ、黄色い花のユウスゲ。秋には松虫草（まつむしそう）、吾亦紅（われもこう）、子鬼百合、リンドウ、ママコナ、ウメバチソウ等々。

ツームシ山一帯は広大な高原台地で、近くに温泉が多い。ツームシ山の東には阿蘇内牧温泉、東南には阿蘇赤水温泉、西には菊池温泉がある。ツームシ山の北側の谷は地形が険しく菊池渓谷を形づくっている。ツームシ山とオケラ山を結ぶ一帯の山岳地帯は、菊池川の水源である。

そんなわけで、ツームシ山という名前は、トムラウシ山が訛ったものだ。アイヌ語のトムラウシは、日本人が発音しやすいように変化した。その過程は、

ト　ムラウシ

ツーム××シ

だと考える。

「ト」は、同行通音で変化して「ツ」と発音するようになった。「ラウ」という音は舌を巻いて発音する音であるので、次第に発音しなくなった。日本人は舌を巻いて発する音が苦手だ。だから、英語の「L」と「R」の違いを発音できない人が多い。日本語は、母音と子音の組み合わせで発音する。ツ（thu）のように母音が「u」のときは、発音しやすいように「ツー」と伸びることが多い。

「以上が、ツームシ山の名前の由来だ。もとより、私の説も言葉遊びに過ぎない。ツームシ山にロマンを求めただけのことさ」

とサクは一息ついて酒パックを持ち上げたが、いつの間にか空になっていた。だんだん青空が広がってきた。男岳の山頂には若者の一団がいるようだ。後から登ってくる仲間に呼びかけているのか、盛んに「ヤッホー」と叫んでいる。ときおり、弾ける笑い声が流れてくる。

英彦山縁起

英彦山（ひこさん）1199m　在所：福岡県添田町

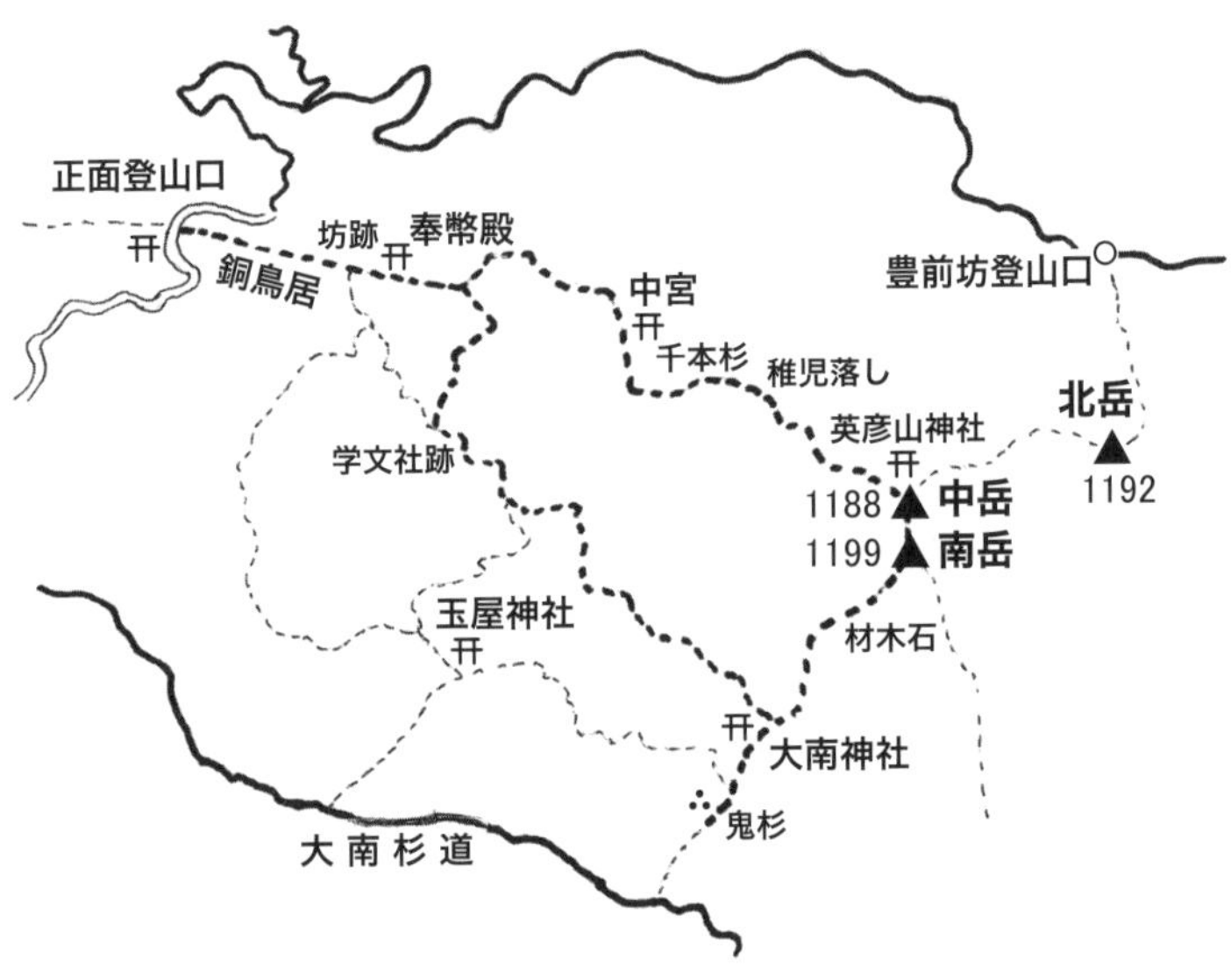

夜が明けて佐賀平野を走るころには雨があがり、虹が大きな半円を描いていた。大分自動車道を杷木インターチェンジでおりて一般道を北へ向かい、英彦山（ひこさん）（一一九九m）を目指している。一行はヒロ、トシ、タカオ、テルの四人。

英彦山は、福岡県と大分県の県境にある山である。かつては、大和の大峰山、出羽の羽黒山と共に三大修験者の山として信仰をあつめた。

田んぼの間を小川が流れ、ススキの穂が揺れている。谷沿いのなだらかな丘陵地帯に広がる棚田は、稲刈りが済み、稲の切り株が整然と並んでいる。畑では、あちらこちらで草を焼く煙が立ち昇っている。柿の木は、色づきはじめた実をたわわにつけて、打ち上げ花火が空いっぱいに広がったようだ。周囲のたたずまいは、農村の原風景が息づいていて、幼い頃ここに住んでいたのではないかという気さえする。

沿線の農村地帯は、英彦山の修験者たちが峰入りすることに由来する宝珠山（ほうしゅやま）村、小石原（こいしわら）村という地名であった。しかし、二村は二〇〇五年（平成一七）三月に合併して東峰村（とうほうむら）と名前を変えた。響きのよい地名が消えていくのは惜しい。辺りには、池ノ迫、小河内、赤谷、黒谷、宝ヶ谷など谷間の村であることを示す地名がいくつもある。

稲作を中心とする農業を平野で営む場合、最も困るのは燃料と堆肥である。その両方住んだ。

の条件を満たすのは、川沿いの谷間だった。農耕民族であった古代人は、必然的に谷に

堤を築き、用水路をつくり、山から流れてくる水を水田に引き込み田植えをする。植えた稲が成長したら田んぼの水を抜く。そんな構造にするには、谷の形状が最も都合がよい。山の傾斜に石垣を積んで平地を作り、階段状の田んぼを作る。山腹の丘陵は次第に田んぼへ変わっていく。こうして出来上がったのが棚田である。

谷を流れる川沿いに道ができ、人々は川沿いに住んだ。稲を育てるのに最適な環境は、大雨が降り洪水が発生すると、田畑もろとも家まで流される危険が隣り合わせているところでもある。

むやみに森を伐採するとたちまち山崩れや洪水が起こる。山は、たきぎや炭などの燃料にする樹木や枯れ枝をとり、肥料にするための枯葉や下草を採取する所だけではない。水をはぐくみ、洪水を防ぎ、村人たちの命を守ってくれる存在であった。

だから、村人たちは山を大切にした。古代の日本人が、山を尊いものとしてあがめたのは、谷で生活する者が心にいだく感謝の気持ちの表れである。山を信仰の対象としたのは、稲作が広まった弥生時代の中ごろからであろう。

一、英彦山の再開発

英彦山（ひこさん）山系は、英彦山の東に犬ヶ岳（一一三一ｍ）、読経（どきょう）山（九九二ｍ）、西には岳滅鬼（がくめき）山（一〇三七ｍ）、大日ヶ岳（八三〇ｍ）、釈迦ヶ岳（八四四ｍ）の山々が連なる。東西に連なる山脈は、標高五百メートルほどの鞍部（あんぶ）を隔てて、さらに西へつづき、馬見山（九七八ｍ）、古処（こしょ）山（八六〇ｍ）の山々が横たわっている。

これらの山系は、北に広がる福岡平野、直方平野と南に広がる筑紫平野を分ける分水嶺である。英彦山は修験者の山として知られているが、英彦山から流れでる水が豊前、豊後、筑前の田畑の用水となっていたことから、水分神（みくまりのかみ）としても信仰をあつめた。

目指す英彦山の登山口は、山脈の鞍部（峠）を越えた添田町英彦山にある。

英彦山の参道入り口に建つ銅鳥居（かねのとりい）に近い駐車場に車を止めて、登山の準備にかかる。雨に備えて防水加工の帽子をかぶり、泥除けのスパッツを着け、防寒のジャンパーを着込み、雨にぬれた石畳の道を歩きだした。宿屋であったと思われる建物は雨戸を閉めてひっそりとしている。土産物屋は、店を開けたばかりで、呼び込みの声も控えめだ。

奉幣殿（ほうへいでん）への緩やかな上り坂の石畳は、勾配がきつくなり階段に変わった。この石段は、英彦山の参道入り口の銅鳥居（かねのとりい）から、延々と英彦山の中岳山頂まで続いている。

神社には、拝殿にいたるまでに三つの鳥居がある。一の鳥居、二の鳥居、三の鳥居と呼ばれ、拝殿または上宮に近くなるほど身を清めなければならない。最初にくぐる鳥居が一の鳥居である。英彦山の場合、銅鳥居が一の鳥居に当たる。

一の鳥居をくぐると、神の住む領域であるから、俗人は住めないのが普通である。ところが、英彦山の商店街は鳥居の内側にある。

この謎は、江戸時代の都市再開発にあった。

一六七一年（寛文一一）、ときの為政者が参道に町筋を新設し、五〇軒ほどの商店を経営させた。今では十数軒に寂れてしまったが、これが英彦山商店街の発祥である。

その後、英彦山の大檀那（おおだんな）となった九州各藩主の経済力をバックに大規模な再開発が行われ、商店街から麓（ふもと）へ向かって、幅一二メートルの石畳を延長した。

階段の左右の側溝も石造りとし、沿道には石垣を整然と積み、二百軒余りの坊舎（修験者の住居）を両側に集中配置して山の偉容を整えた。大門通りと呼ばれた現在の参道が完成したのは一六七五年（延宝三）である。

銅鳥居は一六三七年（寛永一四）に佐賀藩主鍋島勝茂が寄進したものであるが、一六八六年（貞享三）に再開発の一環として、麓へ延長した参道の入口へおろした。その結果、銅鳥居をくぐった神の住む領域に、俗世間の店屋や宿屋が入ってしまった。鳥居を移せば、町屋が神様の領域に入ることになるので、不都合なのだが、それは気にしなかったのだろうか。

英彦山の発祥は霊仙寺（れいせんじ）というお寺であって、江戸時代には天台宗に属していた。もともと、寺に鳥居はないのだが、神仏習合により、仏教と神道が融合した結果、寺の境内に鳥居があり、神社が建っている所は、江戸時代まではざらであった。

東京浅草の浅草寺（せんそうじ）には、雷門をくぐった境内の参道沿いに仲見世が軒を連ねている。長野の善光寺の山門から続く長い参道にも仲見世が並んでいる。

神仏習合により日本固有の神と仏教の神を融合調和させて、両方とも信仰する民族だから、既存の町屋が寺社領域にあってもしょうがないと、おおらかに認めたのだろう。

記録によると、一六八一年（天和一）の英彦山の人口は二四二九人、戸数五三〇戸であった。修験者は自給自足の手段を持たない集団だから、二千四百人の修験者集団は日常必要なものを行商の商人から買う以外に購買手段がないのでは、不便でしょうがない。

食料や日用品を扱う店は、近くにあったほうがいい。神域内での商店営業を認めたのは、修験者たちの便宜優先の決定だったのかもしれない。

江戸時代には、各地の檀家衆の参詣人が増えて、坊舎は宿屋を兼ねていた。食料品その他の物品を仕入れる商店がなければ、宿屋商売も成り立たない。江戸時代には、修験者もずいぶん俗化していた。そんなわけで、だれもが知らぬ振りをしていたのでしょう。

銅鳥居には、もう一ついわれがある。

その昔、英彦山は「日子乃山」と呼ばれていた。平安時代の八一二年（弘仁三）に、英彦山で修行していた僧法蓮が嵯峨天皇からお褒めの言葉をいただき、修行の山を「彦山」と呼ぶがよいといわれた。以後、江戸時代までは「彦山」と呼ばれた。

江戸時代に、彦山は霊元天皇から「英」の尊号を受け、「英彦山」と記された鳥居の額を下賜された。一七三四年（享保一九）に、勅額「英彦山」を銅鳥居に掲げ、それまでの「彦山」は「英彦山」と表記するようになった。

このように、英彦山は三度も表記が変わったのでややこしい。この稿では、おおむね「英彦山」と書くことにするが、江戸時代より以前の「彦山」としたほうがよい場合は、「彦山」とした。

二、杉の山

亀石坊、秀学坊、立石坊など、修験者の宿坊跡が両側に並ぶ杉林の中を登っていく。座主院跡、雪舟の作といわれている亀石坊庭園などが近くにあるが、登山が目的なので訪れる時間の余裕がない。

英彦山は石の山である。銅鳥居から奉幣殿（ほうへいでん）までは広い石の階段が続き、石段の両側には修験者の坊舎が立ち並んでいた。その坊舎は、苔むす石垣を残すのみとなっている。

紅葉のシーズンで、登山客が多い。順番を待って奉幣殿前のお手水所で手を清め、お参りをしたあと、本格的に登山を開始した。

英彦山は最高峰の南岳、上宮（じょうぐう）が建つ中岳、それに北岳の三峰からなる山である。上宮がある中岳の山頂まで、石造りの階段が延々と続いている。石段は終りがないように見える。

石段を登ったところに建つ寺や神社は数多くあるが、たいていの場合、石段は途中で一休みするほど長く続いても、しばらく登ると石段の終点の先に山門や本殿が見えてくるものである。

「やれやれ、これで願いが達せられる」と参詣者はホッとする。しかし、英彦山の参詣者はホッとできない。階段のむこうに遠望する空などの空間はなく、石段がどこまでも棒のように突っ立っている。

これは、無限の修行を表しているのではないか。

千日行(せんにちぎょう)という修行がある。いったん千日行に入れば、三年近くの間、一人で行(ぎょう)を続けなければならない。比叡山では今も千日行に取りくむ僧がいる。真言を唱えて一日約四〇キロ歩くという。千日で四万キロ。地球一周が四万キロであるから、地球を一周する距離を歩く。

奉幣殿から中岳山頂へいたる石段も修験者たちの手で作り上げた。その数三一二三段。石は山から豊富に切り出せただろうが、これだけ長い階段を山頂まで築き上げるのは、容易でなかったであろう。

参拝を目的とする場合、奉幣殿から中宮を経て、上宮が建つ中岳山頂までつづく石段を登っていく。私たちは、奉幣殿から少し登ったところで、右折して杉木立の山中へ入った。玉屋神社、大南神社を経て中岳を目指すコースである。途中、少し寄り道すると

大梵字石や磨崖仏などの遺跡がある。

奉幣殿から学文社跡までは、標高差八〇メートルのなだらかな勾配である。雨が上がり、林の中の空気がうまい。整備された山道を軽快に歩いた。体が温まってきたので、ジャンパーを脱いだ。

雨あがりの湿った空気を震わせて、ふもとから法螺貝（ほらがい）の音が響いてきた。現在も修験の道を究めようと修行する人たちがいるのだろう。

ほら貝に触発されて、テルが一句詠んだ。

身に沁むや靄（もや）を吹き去る法螺の音

山岳修行をする修験者は、即戦力となり得る兵士でもあった。そのため、戦国時代になると、九州中国地方の戦国大名が英彦山の修験者を味方につけて兵力の増強を図ろうとした。しかし、勢力争いに関して中立をたもとうとする英彦山は、戦略的同盟をすべて断った。

業を煮やした戦国大名は、実力で配下にしようとして戦いを仕掛けてきた。

一六世紀後半には、肥前の戦国大名龍造寺隆信、豊後のキリシタン大名大友宗麟に焼き討ちされて、最後は豊臣秀吉に攻め込まれた。

三度にわたる大きな戦禍に巻き込まれ、英彦山の主要な寺院、仏閣はほとんど焼き尽くされた。火災は、建物だけでなく周囲の山林を焼いた。

江戸時代には、たびたび坊中より出火し、百戸以上の規模で幾度となく坊舎は焼け落ちた。林の中にある修験者たちの坊舎が火事になると、山林に飛び火して山火事を引き起こした。

英彦山の座主は、一六九三年（元禄六）に「山に木を植えよ」とのお触れを出し、修験者の庭や門前にも梅、桜、楓などの植えつけを指示した。一六九六年（元禄九）の御定書では、修験者一人あたり百本の杉苗を植えよと命じた。修験者が峰入りするときも一人当たりの植林数を割り当てている。

不思議なことに、上宮も火災に見舞われることが多く、一七五四年（宝暦四）、一八三五年（天保六）と、二度にわたり炎上している。戦火や、たび重なる失火によって山は焼き払われ、無残な状態であった。

現在の英彦山は圧倒的に杉に覆われており、檜（ヒノキ）は数少ない。鬼杉、泉蔵坊杉などと名付けられた大木・名木は杉の木ばかりだ。しかし、英彦山のご神木はヒノキなのである。

一九三七年（昭和一二）に、国宝の奉幣殿を大修理したとき、壁板で覆われていた多くの柱が直径七〇センチほどの松の木であることが分かった。建設当時は、松の木やヒノキが茂る天然林が多く残っていたことがしのばれる。

禿山（はげやま）に緑を取り戻すため、成長が早く、日本の樹木でもっとも長寿、巨大種である杉の植林が奨励され、英彦山は杉の山に変貌していった。

江戸時代に植林されて成長した英彦山の森は、太平洋戦争中の過剰伐採で、またしても禿山と化した。敗戦後、疲弊した山に植林を急いだ。しかし、追い討ちをかけるように、一九六一年（昭和三六）の山火事で山林三〇平方キロを焼いた。山火事はさらに植林を促し、ますます人工林の山となった。

標高約八〇〇メートル以下の民有林は、戦時中に乱伐したあとを復元するための植林が進み、杉、ヒノキの人工林が九〇パーセントを占める。山の上の方は国有林で、民有林に比べると天然林が多く残っているものの、人工林が六〇パーセントである。

英彦山は、福岡県で最も雨量が多い地域で、植物、昆虫、動物群の宝庫である。かつては、クマタカが飛んでいたが絶滅した。人工林は、植林された以外の樹木が育たないので、植物相が単調になり、林の中で生きる動物植物群も極度に乏しくなる。生息環境が変化すると、食物連鎖が成り立たず、いろいろな動物が絶滅してしまう。

密着して木を植え、下生えを刈りつくす現代の植林は、杉林をますます暗く密閉された世界にした。微生物、昆虫、鳥、獣が棲まない杉の人工林は、死の世界であり、砂漠同然である。

三、英彦山の民話

少しずつ標高が高くなると杉林の切れ目から紅葉が見えてきた。谷や峰の雑木林が色づいている。冷え込む時季が遅れたために、例年より紅葉の色づきが遅い。十一月になってから、やっと見ごろを迎えた。

道が二手に分かれている。直進すると、玉屋神社を経由して樹齢一二〇〇年の鬼杉をめぐるルート、左に登る道は大南神社へ直行するルートである。

協議の結果、左へ登る道を選んだ。途中に梵字岩があり、小さなアップダウンを繰り返しながら三呼峠を越えていく道である。

明るい雑木林がつづく。ときどき視界が開けると、谷を挟んだ向こうの峰に真っ赤に映えるモミジが見える。登山路に散り積もった落葉は、ふかふかのカーペットのように柔らかい。雨に濡れて鮮やかさがよみがえった落葉は濃艶で、踏むのをためらわれるほどである。

急な坂になり、岩を削ってつくった階段を登りきると玉屋神社経由の道と合流する。

合流点の大南神社は断崖の洞窟の前に建っている。洞窟のほうへ近づいて行ったタカオが、いぶかしげに足を止めて、「山伏が呪文を唱えているようだ」と言う。よく見ると、洞窟の中には、修行をしている行者と思われる白い服の人影が動いている。

案内板の説明によると、大南神社には天火明命（あめのほあかりのみこと）を祀ってある。剣の替わりに綱を持つ「お綱替不動」として信仰が篤（あつ）いとあるが、天火明命がどのような神なのかよく分からない。英彦山に祭られた神々は、修験者たちが創造した神と思われるものが多い。

樹齢千二百年の天然記念物である杉の大木を見るために、玉屋神社からのコースを逆にたどる。雨上がりで岩場の多い道は滑りやすい。用心しながら下っていき、「鬼杉」と呼ばれる大杉を見上げた。幹の周囲が一二・四メートルの大木は、あたりを圧して堂々としている。

「鬼杉」から英彦山系最高峰の南岳（一一九九ｍ）までは、コースタイムで五〇分、標高差は四〇〇メートルである。

地図の等高線は間隔が狭いので、これから先は急な坂道であることが読み取れる。周囲の紅葉の美しさに助けられて英気を補い、一歩一歩登っていく。

「鬼の材木石」とよばれる岩場へ着いた。岩にいくつもの割れ目ができて、材木を積み重ねたように見えることが名称の由来である。

地質学上は柱状節理といわれる。火山から噴きだしたマグマが急に冷え固まってできた安山岩に割れ目ができて、岩が柱や棒のように見える現象だ。「節理」とは、岩石の割れ目や筋道のことである。宮崎県高千穂峡の巨大な柱状節理にくらべると小規模であるが、柱状節理の典型的な特徴を間近で見ることができる。

鬼の材木石には、次のような民話がある。

英彦山には鬼がはびこっていた。悪さをする鬼どもに困り果てた英彦山の権現様は、「一夜のうちに、本殿より立派な家を造れば、その家に住むことを許す。それができなければ、この山から出ていけ」と鬼たちに注文をつけた。

鬼たちは、木を切り、チョウナ（クワの格好をした斧）で削り、柱を建てた。きちんと、構造設計をして、強度を補強するために筋交いを入れた。自分たちが住む家だもの、耐震性も手抜きをしない。

一所懸命に作業をして、家は、明け方までに完成しそうであった。

これを知った権現様は、「これはいかん」と、竹の菅笠をバタバタと叩いて、羽ばたきに似せた音を立て、一番鶏の鳴き真似をした。

鬼たちは夜が明けたと勘違いして、残りの材木を放り出して逃げ出した。逃げる途中で、腹立ち紛れに杉の枝を逆さに立てた。

使い残した材木は、鬼の怒りで石になった。これが鬼の材木石である。

逆さに立てた杉の枝からは根が生えて、先ほど見上げた「鬼杉」となり、一二〇〇年後の今も生き続けている。

修験者たちは、一木一草にいたるまで森羅万象(しんらばんしょう)の一つ一つに意味づけして民衆に親しみやすい民話をつくり、霊山信仰の教理を人々に説いた。こうしてつくった民話は四〇種類を超える。英彦山を民話と伝承の塊にしたのである。

四、勧進帳

四人の中年女性が崖に突き出た岩で一休みしている。我々も一休みして水を飲んだ。

「こんにちは、そこからはいい眺めですか。私たちは、佐世保からきました」

女性に対してサービス精神に富むトシが話しかけた。

「へえー、遠いところからごくろうさまです。二日がかりでしょう」

と、なんとなく派手さが目立つ化粧の女性が応えた。

「いいえ、今日の朝六時に出てきました」

「あらまあ、ごくろうさま。私たちは久留米に住んでいますが、年に四、五回は英彦山へ来ます」

しばらく世間話をして、お先にと歩き出したら、彼女たちも後からついてきた。

古い溶岩が露出する急坂を登ると、右手の林が切れて痩せ尾根になった。溪谷は紅葉でうめつくされて、谷全体がめらめらと燃えているようである。この一帯が人工林にならずによかったと思うと、もみじの美しさがいっそう目にしみる。

先ほどの四人組が「うわー、きれかー。ねえ、ねえ、写真撮って」とはしゃいだ。

近頃の旅行者や登山者は、女性が多い。それも陽気で元気がよい。男性は、我々のような年金老人ばかりで、若者は少ない。

それから、ひとしきり登ると大きな岩が立ちはだかった。

岩には、太い鎖が取り付けてある。鎖をつたって登れば安全なのだが、一歩踏み外せば谷底へ転落することに変わりはない。谷の紅葉を見る余裕はなく、慎重に足場を選んで登っていく。

足を逆に踏み出したはずみで、鎖が谷のほうへ大きく振れた。とっさに岩を蹴り返して、体勢を整えた。ヒヤリとする。

しばらくすると、もう一つ岩場がある。先に登ったヒロが、足をかける岩を指示してくれて、今度は無事に登り終えた。

ホッとすると、先ほど大南神社にいた行者の白い幻影が目の前を横切った。

修験者（以下「勧進帳」の段では山伏という）の服装は、山歩きに適合するように合理的に出来ている。山伏は、登山者の祖先のようなものであるから、そのいでたちも合理的だ。

頭につけた黒いトキンは頭を保護し、水を飲む器（うつわ）にもなる。胸にたらしたユゲサは縄梯子（なわばしご）になり、カイノオと呼ばれる腰の綱は、延ばせば一三メートルの登山用のザイルになる。尻にぶらさげた毛皮は、防寒具であり座布団である。

山伏の恰好といえば、歌舞伎「勧進帳」の安宅（あたか）の関の段が有名である。

源頼朝から謀反を疑われた義経主従は、山伏の姿に身をやつし、奥州平泉へと逃れていくのだが、安宅（あたか）の関の関守・富樫左衛門（とがしさえもん）は義経の一行ではないかと疑う。弁慶は、奈良東大寺の勧進をする一行であると偽って、白紙の勧進帳を開き、勧進の趣旨が書かれているかのように読み上げる。勧進帳は、寺院や仏像を建立・修理する費用の寄付を求める趣旨を書いた文書である。

弁慶は、比叡山の俗僧であったので、そのくらいのことはできたであろう。しかし、鎌倉時代以前の山伏は、山岳修行で鍛えた強靭でスリムな身体を、垢(あか)と塵(ちり)で苔むした衣服で包んでいた。髪や鬚(ひげ)は伸び放題、丸出しのすね、素足に草履(ぞうり)または高下駄といういでたちが一般的であった。

歌舞伎「勧進帳」の山伏姿のようになったのは、集団的な峰入り修行の形が整った室町時代以降のことである。

五、英彦山の神と開祖

ブナ、ナラ、リョウブ、ドウダンツツジなどの自然林を登って行くと、英彦山最高峰の南岳（一一九九m）に着いた。南岳には、小さな鳥居と石造りの英彦山大権現の祠(ほこら)があるだけである。

山頂には一等三角点がある。天気がよければ見えるのだが、由布岳、九重連山、阿蘇山、雲仙岳は、すべてが雲の中である。

英彦山は三峰からなる。南岳には伊邪那岐命（イザナギノミコト）、中岳には伊邪那美命（イザナミノミコト）、北岳には、天照大神（アマテラスオオミカミ）の子である天忍穂耳命（アメノオシホミノミコト）が祀られてある。

インドの神々である仏や菩薩が、日本の神に姿を変えて現れたとする本地垂迹説によれば、イザナギノミコトは釈迦如来、イザナミノミコトは千手観音、アメノオシホミノミコトは阿弥陀如来が化身したものとする。

三つの峰は、中岳を真ん中にして南岳と北岳である。修験道では、山は女体としているから、中岳にイザナミノミコトを祭るのであろう。しかし、仏教では、阿弥陀如来が主仏であり、千手観音は脇侍である。この矛盾を解決するためであろうか、中岳に建つ上宮には三山の神が合祀されている。中央に祀られているのは、本地仏が阿弥陀如来である北岳の神、その両側に中岳、南岳の神が祀られている。これで、主仏と脇侍の説明もつくと考えたのであろう。

全山紅葉した中岳山頂に建つ社殿は神々しい。もみじの中に飛び込むように南岳からの谷をくだり、再び登りつめると中岳である。上宮にお参りして、今日の登山の無事を祈った。

北岳方面の石段をおりると広場があり、休憩所が建っている。休憩所は満員で入れないので、広場のベンチで長崎県波佐見町の地酒六十餘洲を熱燗にして乾杯した。酒の肴にアゴ（生乾きにしたトビウオの乾物）を焼く。香ばしい匂いがあたりに漂う。周りで食事をしている登山者が、うまそうな匂いに吸い寄せられてきた。焼き魚の匂いは日本人の嗅覚に刺激を与えるものらしく、どこで焼いても人が寄ってくる。「ひとつ食べてみませんか」と振舞うと、「うーん、これはうまい」と喜んだ。次々に人が寄ってくる。魚はすぐになくなってしまった。

かつて、西日本一の修験道の山であった英彦山は、明治時代の神仏分離令によって英彦山大権現から英彦山神社となった。その後、宗教色はうすれ、観光地化しつつある。英彦山の起こりと歴史を振り返ってみよう。

農耕を始めるまでの人類は、木の実を採取し、狩猟をして生活していた。そのために、広い平野の真ん中には住まず、周囲を山が囲む盆地に住んだ。農耕を始めてからも、米を育てるには盆地は、住む場所として都合がよかった。

福岡県嘉穂郡、田川郡の盆地から眺める英彦山は、太陽が昇る位置にあたる。その一帯に住む人々にとって英彦山は「日いずる山」としてあがめられた。太陽は、農耕の神なのである。平安時代までの英彦山は、「日子乃山（ひこのやま）」と呼ばれ、古くから民衆に崇拝された山であった。

英彦山の神であるアメノオシホミノミコトは、天照大神の子、つまり、太陽の神である。「日子乃山」には、太陽の子が降り立つ山という意味も含まれている。

一一世紀の文献『彦山流記（日子さんるき）』によると、英彦山の開創者は北魏の僧・善正である。善正は、日本に仏教をひろめようとして、継体天皇が没したとされる五三一年に英彦山の石窟（せっくつ）にこもった。

窟にこもって修行をするところから想像すると、善正がもたらしたものは、道教的傾向の強い密教であったと思われる。善正がどのような修行をし、どのような布教活動をしたかは、判然としない。呪術に類する祈祷を行い、薬草や医術で人々から畏敬される存在だったのだろう。

日本への仏教伝来（仏教公伝）は、百済（くだら）の聖明王が仏像と経論を日本に贈った五三八年とされている。北魏から英彦山へもたらされた仏教は、それよりも七年早い。

それは、仏教伝来の定説を覆す話ではないか、とあわてないで欲しい。五三八年の仏教伝来は、あくまでも「公伝」であり、私的伝来は、五二二年とされている。

五世紀の後半には、日本各地の豪族たちと中国の宋、朝鮮半島の百済や新羅と交流があったことから考えると、五三八年まで仏教が日本に伝わらなかったとすることが、かえって不自然である。

豊前、豊後の山々の開創伝承では、新羅や天竺などの外来僧を開祖とするものが多い。開創の時期もほとんどが六世紀としている。

北九州には、朝鮮半島に近いという地理的環境から、いち早く渡来人が住み着いた。大陸の僧や呪術者たちがそのなかに混じっていた。北九州の奥座敷にある英彦山にも中国大陸・朝鮮半島の文化がいち早くもたらされ、それをじかに吸収した。

朝鮮半島には石窟寺院が百八十余あった。百済、新羅の時代には、山腹に窟を掘り、岩に仏像を浮き彫りして木造の前室を構えた磨崖石窟があった。英彦山の四十余りの石窟は、よく似た造り方なので、半島から渡来した僧の指導によるものと思う。

英彦山は二百万年前に形成された山で、浸食作用によって奇岩怪石に富んだ渓谷がある。それは、山林に起伏して修行する山伏（修験者）にとって最高の行場であった。

修験者は、深山幽谷を行場とし、米麦などの五穀を断って、木の実や草の根を食べ、峰々を渡り歩くなどの厳しい修練をする。精神と肉体を鍛え、超人間的な呪験力の体得を目指し修行を重ねた。修験は古代中国の民族宗教である道教(どうきょう)につながる。修験道は、道教の日本版ともいえる。

一二一三年に著された彦山に関する最古の文献である『彦山流記(日子さんるき)』には、役小角(えんのおづぬ)が登場する。役小角は、大和の葛城山や大峰山で修行を積んだ、修験道の開祖とされる行者である。ところが、役小角は妖術を使い、大衆を惑わしているとしておとしいれられ、六九九年(文武三)に伊豆へ流罪となった。

役小角は実在の人物であるが、その実像は『続日本紀』の文武天皇三年(六九九)の条に、妖術をつかう役小角が弟子の讒言(ざんげん)により流罪になったこと、世間の噂として鬼神を使役していたことが記録されているのみである。伝承によると伊豆へ流された後、その地で七〇一年に没している。

『彦山流記』によると、その役小角が七〇一年(大宝一)の春に彦山で修行し、七〇五年(慶雲二)には、彦山の峰を開き、山伏たちに修験道を伝えたとされている。

小角は、流罪になったあとも自由に伊豆を抜け出し、雲に乗って飛び歩いたというのだが、噂にたがわず、役小角が雲に乗ってやってきたのだ。

役小角が素直に逮捕されたのは、母親を人質に取られていたからである。その母親も亡くなり、捕らわれの身となる必要のなくなった小角は、英彦山へやってきた。小角は伊豆で死んだのではなく、英彦山へ飛んできたのである、と思いたい。

全国の霊山の多くは、何らかのかたちで役小角を開山者としている。英彦山も役小角を持ち出して、修験道の山としての箔（はく）をつけたかったのであろう。

善正が英彦山を開山したとされる五三一年から空白の二八〇年が流れた。

八一二年（弘仁三）に山中で修行中の僧・法蓮が「法蓮の住む山寺、『日子』を改め『彦』となし、霊山を霊仙寺と号すべし」とのお言葉を嵯峨天皇からいただいた。法蓮は二八〇年の間に衰退した英彦山を再興した功により、お褒めいただいたものと思われる。

『添田町町史』は、法蓮を中興の祖としている。

六、権現思想

山は神がおりてくる場所または神が住む場所であり、山そのものはご神体ではない。

山は、神霊がおり立つ依代（よりしろ）なのである。

神は、目に見えない存在であり、雷や稲妻、暴風雨などの自然現象も神が引き起こすものとして信じられていた。人々は、荒ぶる神を慰撫（いぶ）するために、供え物を奉げ、神をたたえて祈った。神社や祠（ほこら）へ行けば、神がいつでもそこにいるという観念はなかった。古代神道には、固有の神はいない。斎（いつ）かれることによって神が現れるのである。

そのような山の神を崇拝し修行することによって、人間の能力を超越した山神の霊験を身につけようとしたのが修験道である。

初期の修験道は、中国からもたらされた道教と日本古来の神道が渾然一体となったものであった。目に見えない霊験あらたかな神の存在を信ずる山岳崇拝のなかに、道教と神道の要素を部分的に取り入れたと言ってもいいだろう。

八〇〇年代初めに最澄と空海が、密教の宗派である天台宗、真言宗を開いた。

修験道は、密教という新しい宗教を違和感なく取り入れて修験者の行場は仏教化した。修験の山には天台宗、真言宗の寺が建てられた。ただし、僧侶と修験者は区別され、修験者は正規の僧としては扱われなかった。

修験者は、山にもいて、里にもいた。髪を延ばし（剃髪をせず）、俗間で暮らし、妻子を持つ者も多かった。「里修験」の修験者は、加持祈祷をして生活していた。

仏教は、日本古来の神と対立することを避けて、神仏習合して共存する立場をとっていたのだが、平安時代になると、日本の神に仏教の菩薩がつけられるようになる。こうして、仏(ほとけ)が主で神が従とする権現(ごんげん)思想が一気に広まった。

権現思想は、仏教側に立つ解釈で、インドの仏や菩薩が衆生済度のため、仮(かり)に日本古来の神々の姿となって現れたとするものである。「権」とは「かり」の意である。つまり、仮の姿で現れた仏が権現である。

修験道がこの思想を取り入れたことにより、山神を祀る多くのところで、かたちとしてみることができる「権現」が出現した。

権現思想により、これまで目に見えなかった日本の神々が、仏教の菩薩や如来として、目に見える仏(ほとけ)としてとらえることができるようになり、目に見えない恐ろしい神が、修験者にとって身近で優しい存在となった。

「英彦山権現」という言葉は、『仁聞菩薩朝記』(一一五二年・仁平二)に記されている。英彦山の三つの峰にそれぞれ「権現さま」がいるので、俗に英彦山三権現という。

山岳仏教における権現思想の始まりは紀州の山奥にある熊野である。熊野縁起最古の書物である『熊野権現垂迹縁起』によると、熊野権現は中国の天台山（中国仏教の聖地）から飛来し、九州筑紫の英彦山、四国伊予の石鎚山、淡路島の諭鶴羽山の順に修験の山を経て、紀州の熊野に垂迹した（仮の姿になって現れた）。

中国を基点にしているので、中国から近い順に伝播したような表現になったのであろうが、実際の権現思想は熊野を基点として、東北山形の出羽三山、四国の石鎚山、九州の英彦山など各地の山岳仏教（修験道）の拠点へ伝播した。

もともと、熊野と英彦山の関係は緊密であった。熊野大社の別当（修験者の最上位）であった増慶（九一七～一〇〇六）が、自分の息子にその地位を譲り、英彦山へ来て熊野の修験道、儀礼を実践したという説がある。

神職と氏子が対立し、千年間続いてきた神幸祭が、二〇〇五年（平成一七）に中止されたことがあるが、この祭りは、増慶が始めた祭事が起源とされる。増慶を英彦山中興の祖とする説も根強い。

七、歴史を見る目

英彦山に関する歴史書は、ほとんどが実際のできごとが起きたときから一世紀以上のちの記述である。いずれも、単独または断片的な記述にすぎず、傍証に乏しい。

英彦山の歴史を語るものとして、一番古い物的証拠は永久元年（一一一三）の年号がしるされた銅製の経筒である。

厳密にいうと、この経筒が発掘される以前の英彦山の歴史的事実は空白なのである。

一方、「鬼の材木石」のところで述べたように、英彦山およびその周辺には、四〇以上の伝承がある。百年以上たった歴史的事実は、誰一人として目撃者がいないから、それを疑えばすべてが否定される。伝承の裏には、何らかの事実があるもので、史実をカモフラージュして伝えられたものも多い。

物証がなければ、認められないとする歴史学の立場は分からぬでもないが、如何なる伝承であれ、伝承である限りは認められないとするのは、いかがなものであろう。

もっとも、事実と伝承の狭間を縫って自由な空想を膨らませ、勝手な仮説を立てて、想像たくましく思いをめぐらせるのは楽しい。

平安時代後期の公卿・藤原宗忠（むねただ）の日記である『中右記（ちゅうゆうき）』には、彦山衆徒の強訴（ごうそ）事件に原因する大宰大弐（だざいだいに）の辞職事件が記されている。

一〇九四年（嘉保一）のこと、かねて大宰府庁へ訴訟をおこしていた彦山の衆徒は、訴えの判決を聞こうとして大宰府へ大勢で押しかけた。突然の彦山の衆徒の強訴に驚き、ときの大宰大弐（大宰府の次官）藤原長房は、なすすべを知らず京都へ逃げ帰ってしまった。

『中右記』には、上記のように簡単に記しているだけであるので、短い記録からは、衆徒がどのような訴訟を起こしたのか判然としない。

白川上皇が天下三不如意（世の中で意のままにならない三つのもの）として「賀茂川の水、双六（すごろく）の賽（さい）、山法師、これぞわが心にかなわぬもの」と嘆いたように、この当時は、寺の僧兵が神輿（みこし）をかつぎ、大挙して都へのりこむ事件が多発した。政府の裁判の矛盾に抗議し、あるいは、寺の権利を主張するなど、僧兵の強訴には朝廷も手を焼いていた。

いろいろな史実をつなぎ合わせて、この強訴事件を推理してみよう。

律令制度の下では、土地と民は公のものであり、土地の個人所有はできない。しかし、地方の有力者は、過酷な税と労役に耐えかねて逃亡した者を集めて、次々と山野を開墾していった。墾田の開発を進めた地方の「開発領主」は、税を取り立てる国司の支配から逃れるために、開墾した田畑を中央の貴族や寺社へ荘園として寄進した。こうして「開発領主」は、現地で荘園を管理する「荘官」として影の所有者となり、経済的に利益を確保した。これがのちの武士団である。

税収を確保するために、後三条天皇は、一〇六九年（延久一）に荘園整理令を出して、既存の荘園を整理し、新しくできた荘園の摘発と没収を厳しくした。

荘園整理令は、それまでに数回出されている。しかし、荘園を持つ摂政・関白家は国司の上司であることから、国司は摂関家の荘園整理を断行することができず、整理の矛先は寺社の荘園へ向けられた。荘園を守ろうとする寺社と国司の抗争は絶えず、所領問題をめぐり寺社と国家官史との対立関係は緊張していた。

これらのことから推測すると、彦山衆徒の訴訟は、彦山の荘園を朝廷へ召し上げるという命令に異議をとなえたものであろう。

荘園に関する彦山の記事をつけ加える。

熊野詣に熱心な後白河法皇は、一一六〇年（永暦一）に熊野の那智権現を勧請して、現在の京都市東山区に新熊野（いまくまの）神社を創建した。その神社に全国二八箇所の荘園を寄進している。

寄進された荘園のなかに豊前国彦山がある。新熊野神社の荘園になった彦山は国役と課役を永代免除された。つまり、国が行う工事に労働を提供しなくてよい、税金を納めなくてもよいという不輸租権（ふゆそけん）を確保した。このことは、彦山の自治権の確立、経済基盤の強化の基礎となったに違いない。鎌倉時代初期の彦山には二百余りの宿坊があったという。こうして、彦山は西国修験道の拠点として栄えた。

時代はくだる。

豊前、豊後、筑前、筑後の諸国に接する英彦山は、軍事戦略上では、非常に重要な場所であった。しかも、修験の道場として古くから武芸の鍛錬に力を入れた。最盛期には千人の僧兵を擁するまでになり、戦国大名に匹敵するほどであった。戦国大名たちは、英彦山を傘下に入れようとして同盟を迫ったが、英彦山はそれに応じなかった。

業を煮やした戦国大名は、実力で配下にしようとして戦いを仕掛けてきた。

一五六八年（永禄一一）、治外法権を誇った英彦山に肥前の戦国大名龍造寺隆信が攻め入り、下宮、講堂、坊舎などを焼き払った。

一五八一年（天正九）、豊後のキリシタン大名大友宗麟が来襲し、上宮をはじめ経巻、聖教、本尊、宝物（ほうもつ）、記録、坊舎などをことごとく焼いた。

これらの戦国大名に抵抗して持ちこたえていた英彦山も、豊臣秀吉に攻められて完全降伏し、一五八七年（天正一五）に、英彦山の七里四方の領地を没収された。

こうして、開山以来、修験道の山であった英彦山は壊滅する。中世まで守り続けられた本来の修験道も同時に消滅したといってよい。

修験道は、江戸時代になると、職業としての行者の集団に変質してしまっている。

修験者は、信者たちの家々を回り、加持・祈禱を行い、祈禱札を配布して、米を布施としてもらい受けた。これが、日頃の修験者たちの生活の糧となったのである。

英彦山の祭りのとき、大勢の参詣人の世話は、修験者の集団がなければ運営は成り立たなかった。江戸時代中期には、祭りの数日間だけで参詣人が七万人いたという。修験者たちは信者を勧誘し、英彦山を登拝する民衆の先達を務めた。宿泊を希望する者には、自らの宿坊を旅館として提供した。

英彦山の歴史が分かりづらいのは、一六世紀後半、戦国大名たちの抗争に巻き込まれて、三度にわたり戦火で焼失したために、中世以前の文献や文化財が伝えられていないことにある。

英彦山の山岳修験道の荒廃の直接の原因は、三度の戦禍によるものであるが、それにまして悲しむべきは、明治政府のとった神仏分離令であり、それに伴う廃仏毀釈（はいぶつきしゃく）の行為である。廃仏毀釈により、英彦山霊仙寺が所持していた仏像、伝来の秘宝、文化遺産は破壊され、散逸した。

二〇〇一年（平成一三）三月、イスラム原理主義を掲げるタリバン勢力が、バーミアンの巨大石仏を爆破した。イスラム教は、アラーの神のみを信奉する宗教で、偶像崇拝は否定している。そのため、タリバンはシルクロードにある仏像はことごとく破壊の対象とした。

タリバンの行為が明治政府の行為と二重写しになる。

宗教としてはまことに不思議なことに、日本人は葬儀以外の祭事を、ほとんど神道に依っていた。一方、日常の行動や道徳の規範は、おおむね仏教の教えによりどころを求めた。仏壇に線香をあげて、神棚に向かって拍手（かしわで）を打った。

明治政府の神仏分離令、廃仏毀釈の行為は、神と仏が融合して日本人の心の主柱となっていたものを二つに引き裂いた。多神教であった日本民族を一神教徒に洗脳し、神道を国家的精神の主柱にしようとしたのである。

神道にとっても国家神道の衣をまとわされて迷惑であったろう。神道に対するさまざまな誤解も、ここに端を発している。

神道と仏教がまじりあった神仏混淆の宗教心が日本人の行動や思考のベースであった。その基盤を神仏分離令によって壊されてしまった。大正時代には、すでに人々の道徳観念に変化が現れていた。敗戦後は、民主主義の履き違えや教育の現場から宗教を排除するために、道徳と宗教が別個のものとして教えられた。

よりどころを失った道徳心は浮遊して、その崩壊に拍車をかけた。現在の公徳心の荒廃は、精神のよりどころを破壊した神仏分離令に一因がある。

神仏分離令と廃仏毀釈は、明治政府のとった最大の愚行であろう。

【参考文献】

英彦山　朝日新聞社西部本社編　葦書房
英彦山と山麓物語　白石直典　西日本新聞社
英彦山　田川町郷土史研究会

校歌　多良岳

五家原岳（ごかばるだけ）**1057m**　在所：長崎県諫早市高来町
多良岳（たらだけ）**983m**　在所：長崎県諫早市高来町
経ヶ岳（きょうがだけ）**1076m**　在所：長崎県大村市黒木町

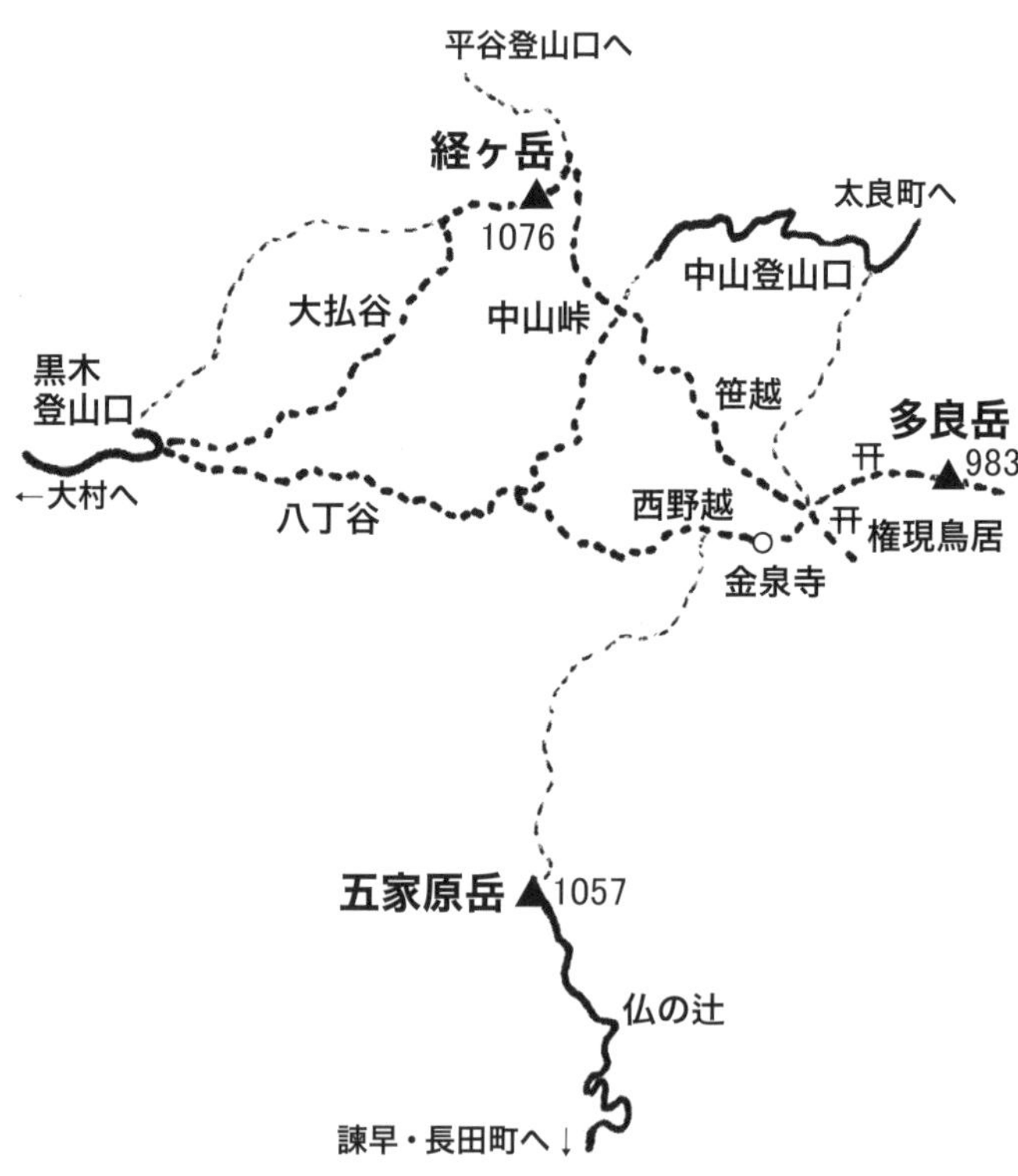

ふるさとの景色を心に浮かべるとき、あなたにはどんな光景が見えてきますか。

たいていの人は、故郷の山や川がセットになって脳裏に浮かんでくるのではないでしょうか。

ものごころがついた頃から高校を卒業するまで、私は諫早市で育ちました。従って、諫早市から見た多良岳がふるさとの山であり、諫早市街の中心部を流れる本明川がふるさとの川です。

父と母は中国へ渡り、上海の租界（居留地／貿易都市の一部を限って外国人の住居・営業を許可する地域）で、ともに日本人学校の教師をしていました。そこで二人は結婚し、わたしは上海で生まれました。しかし、太平洋戦争に日本が敗けたため、その翌年に中国・上海から着の身着のままで引き揚げてきました。

しばらく親類の家を転々と厄介になっていましたが、父が長崎県諫早市立小野中学校教員の職を得て、諫早市小野町へ住み着きました。私が四歳のときです。

引っ越してきたところは、旧日本軍の兵舎（宿舎）でした。干拓平野のなかに、細長い兵舎が一〇棟ばかり点々と建っていました。兵士達が暮らしていた建物を一世帯分ずつ壁で仕切って、一つの兵舎に十数世帯が住める長屋に改造してある。

風呂はなく、水道もない。便所は別棟にある共同便所です。夜は真っ暗な中をトイレに行くのがとても怖かった。近くに風呂屋はなく、風呂に入るには、汽車に乗って諫早市街の銭湯（せんとう）（公衆浴場）へ出かけなければならない。水は、共同の井戸まで出かけて行って大きなバケツに汲み、二つの重たいバケツを天秤棒にぶら下げて帰る。水汲みは、母の役目でしたが大人にとっても重労働でした。毎度の食事の煮炊きは、かまどで火を焚くのです。

兵舎の周りの田んぼや用水路の小川には、ドジョウ、フナ、ハエ、小エビ、ゲンゴロウ、ヤゴ（トンボの幼虫）、タニシ、カエル、畦にはトカゲ、蛇、昆虫類など、小動物がたくさんいました。私は、親の苦労を知らず、旧兵舎に住む子どもたちと小動物相手に毎日遊び惚けていました。

一、小学校歌

幼い子どもだった頃のことは、秩序正しく思い出せるものはひとつもありません。切り取られた時間や出来事の断片だけが、不思議なあざやかさで記憶に残っているものの、互いに結びつくことはありません。青空の中に、記憶の一つ一つは白い雲の列になって浮かんでいます。そんなとぎれとぎれの記憶の断片を、私が学んだ学校の校歌と結びつけて多良岳への思いをつづります。

一九四九年（昭和二四）に小野小学校へ入学しました。

新入生は、校舎の玄関前にある大きなコンクリート造りの四角い建造物を背にして並び、記念写真を撮りました。戦争中の遺構がまだ取り壊されずに残っていた時代です。戦争中は、その異様な建造物の中に天皇陛下の御真影（写真）と教育勅語が保管してありました。

教育勅語は、一八九〇年（明治二三）に天皇の勅語で発せられたという形式をとって発布された教育の基本方針で、その内容は忠君愛国と儒教的道徳を基本とする趣旨のものでした。太平洋戦争中は、国家総動員体制を正当化するための軍国主義の教典として利用され、祝祭日での学校の儀式のときは、校長が厳粛に教育勅語を読み上げました。天皇の御真影と教育勅語は、最も大切なものとして専用の施設「奉安殿（奉安庫）」に保管されていました。

記念写真の背景の「異様な建造物」は、奉安殿だったのです。

一九四七年（昭和二二）に教育基本法・学校教育法が公布され、教育勅語は、一九四八年に廃止されました。私が小学校へ入学した時期は、戦後の新教育制度の黎明期でした。

全国の校歌に共通するのは、郷里の山、海、川、平野を褒め讃える歌詞が多いことです。これも郷土を愛する心の表れなのかもしれません。そして、歌の最後は「おお、〇〇小学校」とか「母校に栄えあれ」とかの言葉で締めくくり、学舎（まなびや）を讃えている。

小野小学校の校歌を掲げます。

（歌詞は、一部のみを引用する。以下の校歌についても同じ。）

きよらに晴れる多良の峰
緑にかおる朝のつゆ
いちょうの梢に陽がのぼるよ

周りで高い山といえば、平野の真北に見える多良岳でしたが、子どもの感覚では、遠い山でした。後年、何度も登った山ですが、小野町にいるころは故郷の山河としての多良岳を意識したことはありません。

こんぴら山に雲がわくよ

あゝふるさとのまなびやに
　きささげの花はさく

中世の頃まで、私が住んでいた干拓平野は海の中でした。干拓が進む前までは、海が丘陵地帯のすぐそばまで広がっており、海岸沿いは葦が茂る湿地帯でした。

小学校は、丘陵地帯が始まる地形のところにあります。学校の拡張工事の際に見つかった横穴式古墳は、約一五〇〇年前の古墳時代後期（六世紀）のものだという。聖徳太子の時代より一〇〇年も前に、小野地方を治めていた豪族がいたのです。

小学生のころの身近な山は、「こんぴら山（金刀比羅岳）」でした。

学校の南側の緩やかな丘陵を登っていくと、そのてっぺんが金刀比羅岳（二四六ｍ）です。山頂には「こんぴらさん」と称された金刀比羅神社がある。その神社は、香川県の金刀比羅宮と同じく、海上交通の守り神です。今でこそ、周りは一面の平野ですが、昔は目の前に有明海が広がっていたのです。海の向こうの多良岳は、今よりもっと遠くにある山に見えたでしょう。

植物図鑑によると、「きささげの花」は淡い黄色の花で、花弁の中に濃い紫色がある。果実は、豆の実のように長い鞘となってぶら下がる。

校歌に詠われているキササゲは、新島襄（一八四三〜一八九〇・同志社大学の設立者）が熊本の教え子へ贈った苗木の子孫をもらい受けて、一九三三年（昭和八）に校舎の玄関に植えたものだそうです。玄関に立っていたキササゲは記憶にありませんが、講堂の前に数本立っていたような覚えがあり、古い写真を探して確認しました。

ゆたかにみのる小野平野
あかねにそまる空の色
宗方の森に陽が沈むよ

「宗方の森」は、宗方神社（四面神社）がまつられた森です。神社は、楠の大木やクヌギやツバキや杉の林で囲まれていました。校歌では、宗方の森は学校から遠いところにあるようですが、学校の西側にほとんど隣接していました。

『三代実録』は、八五八年から八八七年までの三代にわたる天皇の時代のことを編年体で記した、当時の歴史書です。その『三大実録』によると、宗方神社は八七〇年（貞観一二）に従五位下の位を授けられ、八七三年（貞観一五）には従五位上に昇格している。なんと、平安時代の初期に建てられた由緒ある神社だったのです。

七世紀から一〇世紀までの官人は、位階により上下関係が定められており、最高位の正一位から少初位まで、三〇階の位階がありました。五位の位階からは、特権が与えられ、宮中の清涼殿に参内(さんだい)することができる。俗に、貴族とは、五位の位階以上の者をいいます。

とはいえ、神さまに位階を授けるとは、どういう了見だったのでしょうか。しかも、人間と同じように神さまが出世していくのが不思議です。神さまの位階を神階(しんかい)というのですが(神社に授けられる社格とは別もの)、天皇が即位した時や大事件が起きてそれが平常に戻った時などに授けられました。その時、神階が上位に進んだり、元の階位にとどまったりする。しかし、時代が下るうちに、根拠もなく頻繁に授けられるようになり、明治時代に廃止されました。

宗方神社に祀られている神は、天御中主神(あまのみなかぬしのかみ)、大己貴命(おおなむちのみこと)、少彦名命(すくなびこのみこと)の三体の神だそうですが、そんなことは知る由もありません。宗方の森は放課後の恰好な遊び場でした。

こじんまりとした森ですが、往時はもっと広大で、小学校全体が宗方神社の森だったはずです。

神社の横には小川があり、きれいな水が流れていました。川床の細かい砂を掘ると、シジミがとれました。採ったシジミは持ち帰り、朝餉、夕餉の吸い物の具にするのです。

初老の頃、蝉が大合唱をしている中で、数十年ぶりに宗方の森から多良岳を眺めたとき、なぜか涙が浮かんできました。

年をとると涙もろくなるのは、感動することを抑制する脳の機能が弱まるからだそうですが、小さい頃、なんの感動もなく朝な夕なに眺めた山を、特別な山として意識しはじめるのはどんなことがきっかけになるのでしょうか。

小学四年生の二学期に、諫早市街へ転居して、北諫早小学校へ転校しました。

小野小学校から見た多良岳は、平野の向こうにある遠い存在でしたが、北諫早小学校からは、とても間近に見えました。学校は、多良岳の裾野にあるようなもので、なだらかな大地の塊をどんどん登っていくと、いつの間にか山頂に到着できそうなくらい間近な存在でした。

北諫早小学校の校歌は、多良岳と本明川を次のように詠っています。

一．多良の山なみ仰ぎつつ
　輝く歴史うけつぎて
　城見が丘に集いよる

二．流れも清き本明に
　におう文化の華さぐり
　　学びの道にいそしめる

多良岳がどれほど間近に見えたかは、歌詞によく表れています。

小野小学校の校歌では、「きよらに晴れる多良の峰」と遠望していましたが、北諫早小学校校歌は、「多良の山なみ仰ぎつつ」と、ずっと近くで山を見上げています。

校歌に「多良の山なみ」を仰ぎ見るとあるとおり、厳密にいうと実際に見えるのは五家原岳（ごかばるだけ）です。多良岳は見えません。多良岳連峰は、南から北へほぼ一列に、五家原岳（一〇五七ｍ）、多良岳（九八三ｍ）、経ヶ岳（一〇七六ｍ）の三山が連なっていて、諫早市から見ると、多良岳と経ヶ岳は五家原岳の後ろに隠れている。しかし、五家原岳を多良岳と呼んでもなんの違和感もありませんでした。

遠足の行き先は、大抵の場合、五家原岳でした。これまで眺めていた山は、登る山になりました。

校庭に勢ぞろいした生徒たちは、五家原岳を目指して丘陵地帯を歩き出します。一年生、二年生は途中の三本松が目的地です。三年生、四年生はもっと遠くの、水源の森にある霊場・御手水観音まで歩きます。ここまで、地図上の直線距離で約六キロ。五年生、六年生は、さらに白木峰高原を経て、丘陵地帯を仏の辻まで歩く。ここからは本格登山となり五家原岳にたどり着く。

山頂までの距離は、小学校からおおよそ一一キロ。現在の五家原岳には、電波塔が建ち、山頂まで車で行けますが、その頃の仏の辻からは全くの山道でした。往復二二キロの距離を子どもの足でよく歩き通したものだと、改めて感心しています。

Y君は、頭が大きくて顔が小さい。まるで、三角おにぎりを逆さにしているような形「▽」をしている。おまけに小柄なので、やたらと頭が大きく見える。付けられた渾名は「仮分数」。当然ながら、運動は得意ではないし、体力も強くない。そのY君が、登山の途中でへたばってしまった。彼の荷物をかわりに持って分かりましが、彼がへたばった原因は、一リットルの水が入る大きな水筒でした。錫の合金でつくられた、見るからに分厚い容器は、象に踏まれてもびくともしないようなもので、ずっしりと重い。

Y君は、ここで帰りを待っているから先へ行ってくれと言うが、手分けして彼の荷物を持ち、後ろから押して行った。最後は、交代で負ぶって登りました。

山頂付近は、草尾根が広がっており、斜面がススキで覆われている場所がありました。

弁当を食べた後、ススキを踏み倒して滑走路をつくり、先生たちが持参してきた段ボール紙をソリにして滑り降りました。ススキの中を滑り降りることのなんと気持ちのいいことか。段ボール紙がよれよれになって破れてしまうまで、交代で何度も何度も滑りました。ソリ滑りでＹ君は元気を取り戻しました。

林間学校の一環により、雲仙でキャンプをしたのは小学校上級生のときで、雲仙市千々石町から雲仙温泉別所キャンプ場までの九キロの山道を歩きました。一泊するための毛布、食糧、炊事道具などを背負うと、結構な重さです。

翌日は、普賢岳（一三五九ｍ）へ登り

ました。今では、仁田峠まで車で登り、そこを登山の出発点とするのが普通ですが、雲仙の町はずれのキャンプ場からゴルフ場の横を通って仁田峠までも徒歩で登りました。普賢岳山頂からは眼下に島原市、その向こうに島原湾が広がっています。「対岸に見えるのが熊本県だよ」と先生が教えてくれました。まだ行ったことがない熊本県が間近に見えるのが不思議でした。

このとき、本格的登山らしきものを初めて体験し、登山の面白さを知ったのです。

小学校のある丘を下ると本明川がゆったりと流れており、対岸の小高い山には、かつて、諫早城が建っていました。校歌に「城見が丘に集いよる」とあるように、学校は諫早城の城跡を臨む高台にあります。

学校からの坂を一直線に下ると、本明川の岸に慶巖寺という浄土宗のお寺がありま す。図工の時間には、友達数人と学校を出てこの寺に行き対岸をスケッチするのが常でした。と言うのも、なるべく早く絵を描き上げて、お寺の境内で遊ぼうという魂胆です。早く描き上げるために、風景を大胆に切り取り、造形を省略して描いた絵が優秀作品に選ばれるハプニングもありました。

二、中学校歌

中学校は、小学校よりもっと高台にありました。
北諫早中学校の校歌にも、多良岳と本明川がセットで詠われています。

一．若葉をくぐる本明の
　流れを臨む学び舎に
二．白雲なびく多良ヶ嶽
　仰げば燃ゆる胸の火に

三年生の夏、多良岳山系を源流とする本明川が決壊し、歴史に残る大水害が発生しました。

前日から、道を隔てた向かいの家が見えないほどの激しい雨が降り続いた。集中豪雨によって、山林の保水力の限界を超えて、耐え切れなくなった地面が崩れだし、本明川は土石流を噴き出すように流れ下った。堤防を突き破り、田畑を冠水させ、建物を飲み込み、砲弾となって橋をなぎ倒した。

江戸時代につくられた石造りの眼鏡橋は、荒れ狂う川の流れをものともせず立ち続けた。皮肉なことに、頑丈な眼鏡橋に流木が大量に引っ掛かり、濁流を堰き止めた。そのために土手が決壊し、周りの人家が広範囲に飲み込まれてしまった。

一九五七年（昭和三二）七月二五日のことでした。

死者・行方不明者は六三〇人。同級生も数多く亡くなりました。

私の家は高台にあったので被害を免れました。翌日、被害の状況を目の当たりにして、その変わりように唖然としました。本明川の堤防は、パックリとえぐられている。橋がない。流域の建物がない。街並みが消えている。

校歌の「若葉をくぐる本明の流れ」が、こんなに変貌するとは、想像もできないことでした。自然の怖さを目の当たりに知ったのです。

その七カ月後に諫早高校の入学試験を受験しました。合格発表があった翌日の日記には、初めて経験した競争試験を終えてホットしたものと見えて、こんなことを記しています。

陽はすでに暖かい光を地上に落としている。まだ、冬のなごりであろうか、風は冷たいけれど、もうすっかり春である。畑の菜の花は緑の葉をつけ、黄色の花が、まるで緑のビロードの上にふりまかれた砂金のようにきらきら輝いている。そして、空にはひばりが楽しそうにのぼっている。

はるか向こうには、いつものように多良の山が静かに腰を下ろしている。冬の間はなにかしら寒々としたものがあったけど、その気配はすっかり消えて、青々とした山肌をどこまでもひろげているさまは、まことに静かだ。

また、ひばりが青い空へ登っていく。「もうすっかり春ですね」と言わぬばかりに。

ひばりは、どこで鳴いているか影も形もみえません。せっせと忙しく、絶え間なく鳴く声だけが空の中に聞こえます。

夏目漱石は小説『草枕』の中で、「雲雀はのどかな春の日を鳴き暮らさなければ気が済まんと見える。その上どこまでも登っていく。雲雀は、きっと雲の中で死ぬに相違ない。」と書いています。

近年、ひばりが天に昇る姿をほとんど見ることがありません。すべてのひばりが、本当に雲の中で死に絶えたのではないかと心配です。

三、高校校歌

諫早高等学校の校歌はユニークで、一番のみで完結します。

有明の
光は清明(さや)に
多良岳の
高き心を仰ぎみる
青葉の町に母校あり

入学後しばらくして、ふらふらと弓道部に入部しました。私の運動能力は、走る、飛ぶ、投げる、どれをとっても中レベル以下でした。そんなのろまでも、弓道は見たところ動きの少ない競技のようだから、やってみようという気になりました。これが面白くなって、放課後は弓道場へ通うことが日課になり、山への思慕は遠のきました。

再び、多良岳へ登り始めたのは大学生になってからで、帰省すると一人で登りました。大村市黒木町まで列車とバスを乗り継いで行く。黒木登山口から八丁谷、西野越を経由して金泉寺を目指す。そこで一旦休憩して多良岳へ登る。時間の余裕があれば、鬼の岩屋と呼ばれる奇岩を通り、修験者が座禅を組んだと言われている座禅岩の絶壁に立つ。帰りは、金泉寺へ戻って尾根伝いに中山峠まで歩き、谷沿いに黒木へ下る。

第二のルートは、中山峠を経由して経ヶ岳へ登り、登山口へ戻ってくる。極寒の時季になると、経ヶ岳山頂付近の岩場は、かちんかちんに凍りつく。危うく転落しそうになり、肝を冷やしたこともあります。

第三のルートは、まず多良岳へ登り、縦走して経ヶ岳の山頂に立った後、まっすぐ登山口へ下りる。

いずれのルートも、夕方の最終バスに間に合うようなスケジュールを組みました。

中世までの多良岳は、修験者の山でした。肥前の国では、雲仙岳と並ぶ霊山として栄えていました。

ところが、大村領主・大村純忠がポルトガルと貿易をする見返りとしてキリスト教信者となったことから、一五七四年（天正二）に、全家臣、全僧侶に対してもキリスト教へ改宗するように迫られました。改宗した多くの領民は宣教師に扇動されて、領内の寺社を破壊しました。純忠も、宣教師からの強硬な仏教弾圧の要求に逆らえず、多良岳の金泉寺をはじめ大村領内の仏寺を焼き払い、徹底的に壊滅しました。

これ以降、修験者で栄えた大村領の七つの修験場と十カ所の宿坊のことをいう「郡七山十坊（こおりななやまじゅうぼう）」は、語り草だけになりました。

多良岳が修験者の山であった面影は、金泉寺から山頂付近にかけて、わずかに残っています。

多良岳山系の春には、マンサクの黄色い花が咲き、夏にはオオキツネノカミソリの群落が登山者を引きつけます。後年、余裕のある登山を楽しむようになりましたが、そのころは体力を試すつもりもあったので、自然を楽しむというより、修験者のようにひたすら歩いていました。

小皿を二枚ずつ両手に持って、それを鳴らしながら踊る「のんのこ節」という長崎県民謡に、こんな一節があります。

わしが思いは多良岳山の　落ちる木の葉の数のごと

絶え間なく舞い続ける落葉にたとえて、恋人へのせつない想いを詠ったものですが、秋に多良岳の降り積もった木の葉の道を歩くと、サクサクといい音がして歩みが軽くなります。そう、恋人に会いに行くときのように。

あとがき

登った山の由来について話し始めると、山岳で修行した修験者のこと、伝説・伝承・歴史を紐解かなければならない。そんなことに興味がない方には、理屈っぽくて退屈なことが多かったのではないかと思う。本格的な登山の本でもないので、がっかりした読者もいらっしゃるかもしれない。

山に関する歴史をたどるには、その山に鎮座した神社や寺院の古文書が手掛かりとなるが、戦災や火災によって失われているものが多い。そのため、失われた歴史資料の空白は、想像や空想で埋めていかざるを得ない。

その空白を逆手に取って、空想にふけり、遊んでみたのがこの本である。

もっともらしい説をとなえているが、私は専門の歴史家でも動植物学者でもない。素人の空想であるから、この本に書かれていることは、話のタネにする程度で、まともに信じないでください。

仲間と共に九州の山へ出かけた回数は九〇回を超える。登った山は一五〇座以上になる。その登山は、「山旅」と称して、旅先で散策する事と山歩きの両方を楽しむものだった。

山から帰ってからは色々な資料を読みあさって、もう一度、私だけの山旅をして話を膨らませて行く。この本は、そうして出来上がった、おおいなる無駄話の寄せ集めである。面白みに欠けるつたない本を最後までお読みいただき、ありがとうございました。山って、こんな楽しみ方もあるのかと思っていただけたら嬉しい。出版に際して、お世話になった方々に御礼申し上げます。

二〇二一年五月

柴田　昭隆

《著者略歴》

柴田昭隆（しばた　てるたか）

１９４２年　中国上海生まれ
岡山大学　法文学部法学科卒
（株）親和銀行に勤務し、主にシステム開発、経営
企画、事務管理部門を歴任
退職後、佐世保市文化振興委員長、市民協働推進
委員などを務める
現在、佐世保文化協会事務局長、九十九島ボラン
ティアガイド
著書に『山のびっくり箱』がある。

謎の多い山

令和三年五月十九日　第一版　発行

著　者
発行者　柴田　昭隆
佐世保市大岳台町六ー四
電話・FAX（〇九五六）三三ー三一四五

発行所　芸文堂
佐世保市山祇町十九ー十三
電話（〇九五六）三一ー五六五六

印　刷
製　本　㈲エスケイ・アイ・コーポレーション

ISBN978-4-902863-74-1 C0026
定価はカバーに表示してあります